Júlio Verne
VIAGEM AO CENTRO DA TERRA

CONHEÇA NOSSOS LIVROS
ACESSANDO AQUI!

Copyright da tradução e desta edição ©2021 por Fabio Kataoka

Título original: Voyage au Centre de la Terre
Textos originais de domínio público. Reservados todos os direitos desta tradução e produção.

Direitos reservados e protegidos pela lei 9.610 de 19.2.1998.
Nenhuma parte deste livro pode ser reproduzida, arquivada em sistema de busca ou transmitida por qualquer meio, seja ele eletrônico, xérox, gravação ou outros, sem prévia autorização do detentor dos direitos, e não pode circular encadernada ou encapada de maneira distinta daquela em que foi publicada, ou sem que as mesmas condições sejam impostas aos compradores subsequentes.
2ª Impressão 2022

Presidente: Paulo Roberto Houch
MTB 0083982/SP

Editora: Priscilla Sipans
Projeto gráfico: Rubens Martim
Imagens de capa: Shutterstock

Vendas: Tel.: (11) 3393-7727 (comercial2@editoraonline.com.br)

Impresso no Brasil.
Foi feito o depósito legal.

Direitos reservados ao
IBC – Instituto Brasileiro de Cultura LTDA
CNPJ 04.207.648/0001-94
Avenida Juruá, 762 – Alphaville Industrial
CEP. 06455-010 – Barueri/SP
www.editoraonline.com.br

Introdução

Imaginem um lugar no meio do globo terrestre, cheio de animais pré-históricos, extintos há milhões de anos, e até um homem com seis metros de altura e cogumelos gigantes! Tudo isso saiu da imaginação do escritor francês Júlio Verne.

A história começa com um pergaminho manuscrito de mais de setecentos anos que indica a existência de um mundo paralelo no centro da Terra. Surpresas inacreditáveis esperam pelos viajantes!

Quem narra é um jovem chamado Axel, que entra nessa aventura na companhia de seu tio, o professor Lidenbrock. *Viagem ao Centro da Terra* é um livro pioneiro de ficção científica, lançado em 1864. Incrivelmente envolvente após quase 160 anos.

Capítulo 1

No dia 24 de maio de 1863, um domingo, meu tio, o professor Lidenbrock, voltou mais cedo para sua casa, no número 19 da Königstrasse, uma das ruas mais antigas do bairro antigo de Hamburgo.

Marthe, a empregada, deve ter achado que estava muito atrasada, pois ela mal tinha começado a preparar o jantar. Pensei com meus botões: "Se estiver com fome, meu tio, que é o mais impaciente dos homens, vai dar gritos de aflição".

– O Sr. Lidenbrock já chegou! – exclamou Marthe, estupefata, entreabrindo a porta da sala de jantar.

– Já, Marthe! Não precisa correr com o jantar, pois não são nem duas horas. Acabou de bater uma e meia da tarde nos sinos da igreja de São Miguel.

– Então por que o Sr. Lidenbrock está de volta?

– Logo saberemos por ele mesmo.

– Vou voltar para o meu fogão Sr. Axel. O senhor se encarregue de fazer com que ele se mostre razoável.

E a boa Marthe desapareceu em seu laboratório culinário.

Fiquei sozinho. Fazer com que o mais irascível dos professores se mostrasse razoável era algo que a minha personalidade um tanto insegura não permitia. Preparava-me para voltar ao meu quartinho no último andar quando as dobradiças da porta rangeram. A escada de madeira estalou sob os grandes pés, e o dono da casa, depois de atravessar a sala de jantar, foi diretamente para seu gabinete de trabalho.

Durante a rápida passagem jogou num canto a bengala com um quebra-nozes na ponta, o grande chapéu peludo na mesa, e as seguintes palavras retumbantes a seu sobrinho:

– Axel, siga-me!

Eu mal tivera tempo de me mexer, e o professor já gritava impaciente:

– Vamos! Por que ainda não está aqui?

Corri para o gabinete de meu temível mestre.

Otto Lidenbrock não era um homem mau, mas, a não ser que ocorressem mudanças improváveis, morreria como um terrível excêntrico. Era professor no Johannaeum, onde dava um curso de mineralogia, durante o qual se irritava pelo menos duas vezes.

Não que se preocupasse com a assiduidade ou a atenção dos alunos, nem com as notas que conseguiriam no final do ano letivo. Eram detalhes nos quais nem pensava. Ele lecionava "subjetivamente", para empregar uma expressão da filosofia alemã, para si, e não para os outros. Era um cientista egoísta, um poço de ciência cuja roldana guinchava quando alguém tentava extrair algo dele. Em resumo: um osso duro de roer.

Há alguns professores assim na Alemanha.

Meu tio tinha dificuldade para se expressar, até mesmo no círculo familiar, imaginem quando falava em público, o que se torna um terrível defeito em um orador.

De fato, em suas palestras no Johannaeum, muitas vezes o professor parava de falar de repente. Lutava com uma palavra recalcitrante que não queria sair de sua boca, uma dessas palavras que resistem, incham e acabam saindo sob a forma pouco científica de um palavrão. Daí grandes acessos de cólera.

No ramo da mineralogia, há muitos nomes semigregos, semilatinos, difíceis de pronunciar, nomes rudes que enrolariam a língua mais hábil. Não que eu queira falar mal dessa ciência. Longe de mim. Mas quando estamos diante de cristalizações romboédricas, de resinas retinasfálticas, de guelenitas, de fangasitas, de molibdênio de chumbo, de tungstato de manganésio, de titanato de zircônio, até as línguas mais bem-treinadas podem tropeçar.

Digo e repito: meu tio era um verdadeiro cientista. Apesar de quebrar por vezes suas amostras pela brusquidão, reunia a visão do mineralogista ao gênio do geólogo.

Manuseando seu martelinho, buril de aço, a agulha imantada, maçarico e frasquinho de ácido nítrico, era um grande profissional. Pela fratura, pelo aspecto, pela dureza, pela fusibilidade, pelo som, pelo cheiro ou pelo gosto, era capaz de classificar sem hesitação um mineral qualquer entre as seiscentas espécies com que a ciência conta hoje em dia.

Por esse motivo, o nome Lidenbrock era muito respeitado nas escolas e associações nacionais. Quando passaram por Hamburgo, Humphry Davy, de Humboldt e os capitães Franklin e Sabine fizeram questão de encontrar-se com ele. Becquerel, Ebelmen, Brewster, Dumas, Milne-Edwards, Sainte-Claire-Deville gostavam de consultá-lo a respeito das descobertas mais palpitantes da química, que lhe devia umas tantas das descobertas, e em 1853 foi publicado em Leipzig um *Tratado de cristalografia transcendente* do professor Otto Lidenbrock, grande infólio com ilustrações, que infelizmente não cobriu seus custos. Acrescento que meu tio era o curador do museu mineralógico de Struve, fundado pelo embaixador da Rússia. Nesse museu há uma preciosa coleção, célebre em toda a Europa. Eis, portanto, o personagem que me interpelava com tanta impaciência. Imaginem um homem alto, magro, saúde de ferro e uma loirice juvenil, que fazia com que parecesse um quarentão e não o cinquentão que era. Seus olhos grandes não paravam atrás dos óculos consideráveis. O nariz comprido e fino parecia uma lâmina afiada. Os mexeriqueiros até insinuavam que era imantado e atraía limalha de ferro. Pura calúnia: só atraía tabaco, mas em grande abundância, para ninguém dizer que sou mentiroso.

Se eu contar que meu tio caminhava com passadas uniformes de exatamente um metro e mantinha os punhos solidamente fechados, sinal de um temperamento impetuoso, terei dito o bastante para ninguém desejar sua companhia.

Morava em sua casinha da Königstrasse, de madeira e tijolos, que dava para um dos canais sinuosos que se cruzam no meio do bairro mais antigo de Hamburgo e que felizmente escapou do incêndio de 1842.

A velha casa era um pouco torta e seu teto se inclinava para o lado, como o boné sobre a orelha de um estudante da Tugendbund. O prumo de suas linhas deixava a desejar, mas, em suma, conseguia sustentar-se graças a um velho olmo engastado com vigor na fachada, cujos brotos em flor entravam na primavera pelos vidros das janelas.

Meu tio até que era rico para um professor alemão. Tudo na casa, conteúdo e continente, lhe pertencia. O conteúdo consistia em sua afilhada Grauben, jovem virlandesa de dezessete anos, a boa Marthe e eu. Em minha dupla qualidade de sobrinho e órfão, tornei-me auxiliar-assistente em suas experiências.

Confesso que me entreguei com grande apetite às ciências geológicas. Tinha sangue de mineralogista nas veias e nunca me entediei na companhia de meus preciosos pedregulhos.

Em suma, era possível viver feliz na casinha da Königstrasse apesar da impaciência de seu proprietário, pois, embora agisse com um pouco de brutalidade, meu tio não deixava de me amar. Contudo, era um homem que não sabia esperar e mais apressado que o normal.

Quando, em abril, plantava flores nos vasos de porcelana da sala, ia todas as manhãs, puxar as folhas para apressar seu crescimento. A única forma de lidar com um excêntrico daqueles era lhe obedecer. Corri para o seu gabinete.

Capítulo 2

O gabinete era um verdadeiro museu, onde todas as amostras estavam etiquetadas na mais perfeita ordem, de acordo com as três grandes divisões dos minerais: inflamáveis, metálicos e litoides. Como eu conhecia aqueles bibelôs da ciência mineralógica!

Quantas vezes, em vez de ir brincar com as crianças da minha idade, preferi ficar espanando as grafitas, os antracitos, hulhas, linhitas, turfas! E os betumes, as resinas e os sais orgânicos, que era necessário proteger do menor grão de poeira!

E aqueles metais, do ferro ao ouro, cujo valor relativo desaparecia diante da igualdade absoluta dos espécimes específicos! E todas aquelas pedras que dariam para reconstruir a casa da Königstrasse, até com mais um quarto, o que eu não acharia nada mal!

Mas, ao entrar no gabinete, não estava pensando naquelas maravilhas. Só tinha meu tio em mente. Estava afundado em sua enorme poltrona de veludo de Utrecht com um livro que considerava com a mais profunda admiração.

– Que livro! Que livro! – exclamava.

A exclamação lembrou-me de que o professor Lidenbrock era também bibliomaníaco nas horas vagas. Mas, para ele, um livro só tinha valor se fosse impossível encontrá-lo ou se fosse ilegível.

– Você não está vendo? – disse. – Hoje de manhã encontrei um tesouro inestimável remexendo no sebo do judeu Hevelius.

– Que maravilha! – respondi, com um entusiasmo um tanto fingido.

Afinal, para que tanto barulho por causa de um velho in-quarto encadernado com camurça grosseira, um livro amarelado do qual pendia um marcador descolorido!

O professor não parava de soltar interjeições de admiração.

– Veja – dizia, fazendo perguntas às quais ele mesmo respondia –, não é uma beleza? É admirável! E que encadernação! Não é fácil abrir esse livro? Facílimo, fica aberto em qualquer página! Fecha fácil? Sim, pois a capa e as folhas formam um todo bem unido, não se separam ou abrem em nenhum lugar! E esse dorso, que não tem uma única rachadura apesar de seus sete séculos de existência! Ah! Que encadernação! Deixaria qualquer Bozerian, Closs ou Purgold orgulhosos!

Enquanto falava, meu tio abria e fechava o velho livro. A única coisa que eu poderia fazer era perguntar qual era o assunto, embora eu não tivesse nenhum interesse.

– E qual o título desse volume maravilhoso? – perguntei com vigor exagerado para ser sincero.

– Essa obra... – animou-se meu tio – é o Heims-Kringla de Snorre Turleson, o famoso autor islandês do século XII! É a crônica dos príncipes noruegueses que reinaram na Islândia!

– Sério? E, com toda a certeza, é uma tradução para o alemão?

– Uma tradução! – retrucou o professor fascinado. Uma tradução! O que eu faria com uma tradução? Quem quer uma tradução? É a obra original em islandês, esse idioma magnífico, ao mesmo tempo rico e simples, que permite as combinações gramaticais mais variadas e inúmeras declinações de palavras!

– Como o alemão – insinuei, com bastante empolgação.

– Sim – respondeu meu tio dando de ombros –, sem contar que o islandês admite os três gêneros como no grego e declina os nomes próprios como no latim!

– Ah! – minha indiferença foi um pouco abalada. – E os tipos usados nesse livro são bonitos?

– Tipos? Que tipos, infeliz? Tipos... ah, você está achando que é um impresso? Santa ignorância, é um manuscrito, e um manuscrito rúnico!

– Rúnico?

– Claro! Só falta agora você pedir-me que eu lhe explique essa palavra.

– De jeito nenhum! – afirmei no tom de um homem ferido em seu amor-próprio.

Mas meu tio não deu importância às minhas palavras e ensinou-me, contra a minha vontade, coisas que eu não fazia a menor questão de saber.

– As runas – continuou – eram caracteres de escrita empregados outrora na Islândia, que, de acordo com a tradição, foram inventados pelo próprio Odin! Olhe, admire, ímpio, esses tipos procedentes da imaginação de um deus!

Como não sabia o que responder, ia me prostrar, que era uma espécie de reação que deve agradar tanto aos deuses quanto aos reis. De repente, um incidente desviou o curso da conversa: o surgimento de um pergaminho imundo, que escorregou do livro e caiu no chão.

Meu tio precipitou-se sobre aquela ninharia com uma avidez fácil de compreender. Um velho documento encerrado desde tempos imemoriais num velho livro não podia deixar de ser muito valioso para ele.

– O que é isso? – indagou.

E desdobrou cuidadosamente em sua mesa um pedaço de pergaminho de cinco polegadas de comprimento e três de largura, no qual se distribuíam em linhas transversais caracteres ilegíveis.

Aqui está uma cópia exata. Faço questão de apresentar esses sinais estranhos, pois levaram o professor Lidenbrock e seu sobrinho à expedição mais incrível do século XIX:

O professor considerou por alguns instantes a série de caracteres. Depois disse, erguendo seus óculos:

– É rúnico! Esses tipos são idênticos aos do manuscrito de Snorre Turleson! Mas... o que será que tudo isso significa?

Como eu acreditava que rúnico era uma invenção dos cientistas para ludibriar o pobre mundo, não fiquei aborrecido com o fato de meu tio não entender nada. Pelo menos é o que parecia pelo movimento de seus dedos, que começavam a tremer muito.

– Mas é islandês antigo! – disse entredentes.

E o professor Lidenbrock devia entender disso, pois passava por um verdadeiro poliglota. Não que falasse correntemente as duas mil línguas e os quatro mil idiomas empregados na superfície do globo, mas conhecia boa parte deles.

Toda a impetuosidade de seu temperamento estava prestes a mostrar-se diante dessa dificuldade, e eu começava a prever uma cena violenta, quando soaram duas horas no reloginho da lareira.

A boa Marthe abriu a porta do gabinete e avisou:

– O jantar está na mesa.

– Ao diabo o jantar, quem o fez e os que vão comê-lo! – esbravejou meu tio.

Marthe saiu correndo. Corri atrás dela e, sem saber como, encontrei-me sentado no meu lugar habitual na sala de jantar.

Esperei alguns instantes. O professor não apareceu. Era a primeira vez, que eu saiba, que ele não comparecia à solenidade do jantar. E que jantar! Uma sopa com muita salsinha, uma omelete de presunto, temperada com azedinha e noz-moscada, um lombo de vitela na compota de ameixas. De sobremesa, camarões açucarados, tudo regado por um belo vinho do Mosel.

Eis o que um papel velho custaria a meu tio. É óbvio que, na qualidade de sobrinho dedicado, achei que era minha obrigação comer por ele e por mim. O que fiz devidamente.

– Nunca vi isso! – disse a boa Marthe. – O Sr. Lidenbrock não aparecer para o jantar!

– Inacreditável!

– É o presságio de um acontecimento muito grave! – continuou a velha criada, balançando a cabeça.

No meu entender, aquilo não significava nada, a não ser uma cena horrorosa quando meu tio encontrasse seu jantar devorado.

Estava no último camarão, quando uma voz forte me arrancou da sobremesa. Em um salto, eu estava no gabinete.

Capítulo 3

Franzindo o cenho, o professor disse:

– Está claro que é rúnico, mas existe algum segredo que descobrirei, se não...

Um gesto violento arrematou seu raciocínio. Indicou uma mesa e ordenou:

– Sente-se ali e escreva...

Rapidamente eu estava a postos.

– Agora vou ditar as letras correspondentes aos caracteres islandeses em nosso alfabeto. Veremos o que acontece. Mas, por São Miguel, trate de não errar!

Começou o ditado, durante o qual fiz o melhor que pude. As letras foram soletradas uma a uma e formaram a seguinte sucessão de palavras:

ᛁᚼᚴᛏ   ᛋᛏᛈᚴᚦᛋᛋᛏᚴ

Assim que concluímos o trabalho, meu tio pegou bruscamente a folha na qual eu acabara de escrever e examinou-a por muito tempo com atenção.

– O que quer dizer isso? – repetia maquinalmente.

É claro que eu não saberia explicar. Aliás, ele não estava me perguntando nada e continuou a falar consigo mesmo:

– É o que chamamos de criptograma – dizia –, no qual o sentido está escondido nas letras misturadas de propósito e que, dispostas adequadamente, formariam uma frase inteligível. Quando penso que talvez esteja diante da explicação ou da indicação de uma grande descoberta...

Eu achava que aquilo não queria dizer nada, mas não ousava dar minha opinião. Então, o professor pegou o livro e o pergaminho e os comparou.

– As letras não pertencem à mesma pessoa – disse. – O criptograma é posterior ao livro, é irrefutável. A primeira letra é um *M* duplo que se procurava em vão no livro de Turleson, pois só foi adicionada ao alfabeto islandês no século XIV. Desta forma, há pelo menos duzentos anos entre o manuscrito e o documento. Isso me pareceu bastante lógico.

– Sou induzido a pensar – continuou meu tio – que um dos proprietários desse livro traçou esses caracteres misteriosos.

Mas quem diabo seria esse proprietário? Não teria escrito seu nome em algum lugar do manuscrito?

Meu tio ergueu os óculos, pegou uma lupa potente e, com todo o cuidado, passou em revista as primeiras páginas do livro.

No verso da segunda página, a do anterrosto, descobriu uma espécie de mácula que parecia uma mancha de tinta. No entanto, examinando com maior cuidado, era possível distinguir alguns caracteres semiapagados. Meu tio achou ter descoberto um ponto interessante. Deteve-se na mácula e, com o auxílio de sua enorme lupa, acabou reconhecendo os seguintes sinais, caracteres rúnicos, que leu sem hesitar:

– Arne Saknussemm! – exclamou com um ar de triunfo.

– Isso é que é nome e ainda por cima um nome islandês, de um cientista do século XVI, célebre alquimista!

Eu olhava para o meu tio com uma certa admiração.

– Esses alquimistas – continuou –, Avicena, Bacon, Lulle, Paracelso, eram os únicos e verdadeiros cientistas de seu tempo.

Fizeram descobertas que nos surpreendem até hoje. Por que não teria esse Saknussemm escondido sob esse criptograma incompreensível alguma invenção surpreendente? Deve ser isso! Deve ser!

Essa hipótese estimulava a imaginação do professor.

– Com certeza – ousei responder. – Mas que interesse teria o sábio em esconder dessa forma sua maravilhosa descoberta?

– Que interesse? Que interesse? E eu sei? Galileu não agiu da mesma forma com Saturno? Além disso, logo saberemos: descobrirei o segredo desse documento e não comerei nem dormirei antes de tê-lo adivinhado.

– Oh! – pensei.

– Nem você, Axel – ordenou.

– Que diabo! Ainda bem que comi por dois, disse para mim mesmo.

– Antes de mais nada – falou meu tio – precisamos encontrar a chave dessa "cifra". Não deve ser difícil.

Ao ouvir essas palavras, ergui a cabeça bruscamente. Meu tio continuou seu solilóquio:

– Nada mais fácil. Nesse documento há cento e trinta e duas letras: setenta e nove consoantes e cinquenta e três vogais.

Ora, as palavras das línguas meridionais são formadas mais ou menos nessa proporção, enquanto os idiomas do norte são infinitamente mais ricos em consoantes. Trata-se, portanto, de uma língua do sul.

Suas conclusões eram extremamente corretas.

– Mas que língua é essa?

É isso o que eu queria saber de meu cientista, no qual acabara de descobrir um profundo analista.

– Saknussemm era um homem culto – disse. – Ora, já que não estava escrevendo em sua língua materna, deve ter escolhido de preferência a língua corrente entre as mentes cultas do século XVI, ou seja, o latim. Se eu estiver enganado, poderei tentar o espanhol, o francês, o italiano, o grego e o hebraico. Mas os cientistas do século XVI escreviam geralmente em latim. Por isso, tenho o direito de dizer a priori: é latim.

Dei um pulo na cadeira. Minhas lembranças de latinista revoltavam-se ante a pretensão de pertencer essa sequência de palavras barrocas à doce língua de Virgílio.

– Claro, latim – continuou meu tio –, mas latim misturado.

Eu pensei:

– Ainda bem, e haja sutileza para destrinçá-lo!

– Examinemos com cuidado – disse, tornando a pegar a folha na qual eu escrevera. – Eis uma série de cento e trinta e duas letras em aparente desordem. Há palavras formadas apenas de consoantes, como a primeira, *murnlls*, outras em que, ao contrário, há uma abundância de vogais, a quinta, por exemplo, *unteieet* ou a antepenúltima, *oseibo*. Ora, é evidente que essa disposição não foi elaborada: é apresentada matematicamente pela razão desconhecida que presidiu à sucessão dessas letras. Parece-me certo que a frase primitiva tenha sido escrita normalmente e depois invertida de acordo com uma lei que temos de descobrir. Assim que possuirmos a chave da cifra, poderemos lê-la correntemente. Mas qual é a chave? Você sabe, Axel?

Não respondi a essa pergunta porque meu olhar detivera-se num encantador retrato pendurado na parede, o retrato de Grauben. A pupila de meu tio encontrava-se então em Altona, na casa de um de seus parentes, e sua ausência deixava-me bem triste, pois, devo confessar, a jovem virlandesa e o sobrinho do professor amavam-se com toda a paciência e a tranquilidade alemãs. Havíamos ficado noivos à revelia de meu tio, geólogo demais para compreender tais sentimentos. Grauben era uma loura encantadora de olhos azuis, temperamento um tanto grave, caráter um tanto sério. Mas não era por isso que gostava menos de mim.

Eu simplesmente a adorava, se é que esse verbo existe na língua germânica! A imagem de minha pequena virlandesa transportou-me num instante do mundo das realidades ao mundo dos sonhos, das lembranças...

Revia minha fiel colega de trabalho e de prazer. Todo dia ajudava-me a arrumar as preciosas pedras de meu tio. Ela as etiquetava comigo. A senhorita Grauben era uma mineralogista e tanto! Poderia dar aulas a mais de um cientista. Gostava de aprofundar as questões mais difíceis da ciência. Quantas horas passamos estudando juntos! E quantas vezes invejei aquelas pedras insensíveis que ela tocava com suas mãos encantadoras!

Depois, nos momentos de folga, saíamos os dois para percorrer as aleias frondosas de Alster e íamos juntos ao velho moinho alcatroado, tão lindo no canto do lago. Enquanto andávamos, conversávamos de mãos dadas. Contava-lhe coisas que a faziam rir com gosto. Chegávamos assim até a beira do Elba e, depois de cumprimentarmos os cisnes que nadam entre os grandes nenúfares brancos, voltávamos ao cais.

Estava nesse ponto do meu sonho, quando meu tio me trouxe de volta à realidade, batendo com o punho na mesa.

– Vejamos – disse – a primeira ideia – que temos ao tentarmos misturar as letras de uma frase é, acho, escrever as palavras na vertical, em vez de na horizontal.

– "Perfeito", pensei.

– Temos de verificar o que isso dá. Axel, escreva uma frase qualquer num pedaço de papel, mas, em vez de colocar as letras uma após a outra, coloque-as sucessivamente em colunas verticais, de forma a agrupá-las em cinco ou seis. Imediatamente escrevi de cima para baixo:

J   m   n   e   G   e
e   e   ,   t   r   n
t' b   m   i   a   !
a   i   a   t   ü
i   e   p   e   b

– Tudo certo! – disse o professor sem ter lido. – Agora disponha essas letras numa linha horizontal. Obedeci e consegui a seguinte frase:

JmneGe ee,trn t'bmia! aiatü iepeb

– Perfeito! – considerou meu tio, arrancando-me o papel das mãos. – Já parece com o velho documento: as vogais e as consoantes estão agrupadas na mesma desordem; tem até maiúsculas e vírgulas no meio das palavras, como no pergaminho de Saknussemm!

Não pude evitar de achar as observações bastante engenhosas.

– Ora – continuou meu tio, dirigindo-se diretamente a mim –, para ler a frase que você acabou de escrever e que não conheço, basta que eu pegue sucessivamente a primeira letra de cada palavra, depois a segunda, depois a terceira e assim por diante.

E para sua grande surpresa – e, principalmente, para a minha –, meu tio leu:

Je t'aime bien, ma petite Graüben!
(Eu a amo muito, minha pequena Graüben!)

– O quê? – espantou-se o professor.

Sim, sem perceber, como apaixonado desastrado, eu havia escrito aquela frase comprometedora!

– Ah, você gosta de Grauben? – retomou meu tio, num tom de verdadeiro tutor.

– Sim... Não... – balbuciei.

– Ah, você ama Grauben? – continuou automaticamente.

– Muito bem, apliquemos esse método ao documento em questão.

Voltando a cair em sua contemplação absorta, meu tio já esquecera minhas palavras imprudentes. Imprudentes, pois o cérebro de um cientista não compreenderia as coisas do coração.

Felizmente, prevaleceu a importância do documento.

No momento de fazer sua experiência capital, os olhos do professor Lidenbrock reluziram através dos óculos. Seus dedos tremeram ao pegar o velho pergaminho. Estava seriamente emocionado. Finalmente, tossiu com força. Com a voz grave, soletrou sucessivamente a primeira letra e depois a segunda de cada palavra. E ditou-me a seguinte série:

messunkaSenrA.icefdoK.segnittamurtn
erertserrette, rotaivsadua, ednecsedsadne
lacartniiiluJsiratracSarbmutabiledmek
meretarcsilucoYsleffenSnl

Essas letras, pronunciadas uma a uma, não tinham qualquer significado para mim. Na verdade, esperava, portanto, que o professor deixasse escapar de seus lábios uma frase de magnífica latinidade.

Mas quem poderia prever? A mesa foi abalada pelo seu punho violento. A tinta esparramou-se, a pena caiu de minha mão.

– Não é nada disso! – exclamou meu tio. – Isso não tem sentido!

Depois, atravessou o gabinete como uma bala, desceu as escadas como uma avalanche, precipitou-se para a Königstrasse e, num instante, desapareceu.

Capítulo 4

Marthe olhou em direção à porta da rua, que foi fechada com um barulho que abalou a casa inteira, e perguntou:

– Ele saiu?

– Saiu mesmo – respondi.

– E o almoço? – resmungou a velha criada.

– Não vai almoçar.

– E o jantar?

– Não vai jantar.

– Como? – disse Marthe, unindo as mãos.

– Minha boa Marthe, ele não vai mais comer, nem ninguém nesta casa! Meu tio Lidenbrock vai obrigar-nos a todos nesta casa a jejuar até decifrar aquele pergaminho indecifrável!

– Jesus! Vamos todos morrer de fome!

Não ousei confessar que, com um homem tão fanático quanto meu tio, era um destino inevitável.

Seriamente alarmada, a velha criada voltou para a cozinha lamentando.

Quando fiquei sozinho, passou-me pela cabeça ir contar tudo a Grauben. Mas como sair de casa? O professor podia voltar a qualquer momento. E se me chamasse? E se quisesse recomeçar o trabalho logogrífico que poderia ser proposto em vão ao velho Édipo? E se eu não acorresse a seu chamado, o que aconteceria?

Era mais sensato ficar. Justamente, um mineralogista de Besançon acabara de nos enviar uma coleção de geodos siliciosos que era preciso classificar. Comecei a trabalhar. Triava, etiquetava e dispunha em sua vitrina todas aquelas pedras ocas dentro das quais se agitavam cristaizinhos.

Mas não consegui me envolver naquela ocupação. O caso do velho documento não deixava de preocupar-me de forma estranha. Minha cabeça fervilhava e me sentia perturbado. Pressentia uma catástrofe iminente.

Ao final de uma hora, os geodos estavam arrumados. Fui sentar-me na grande poltrona de Utrecht, braços pendentes e cabeça caída. Acendi meu cachimbo de longo tubo curvo, cujo fornilho esculpido representava uma náiade deitada e descontraída. Depois, diverti-me em seguir as evoluções da carbonização que transformava minha náiade numa negra. De vez em quando, prestava atenção para tentar ouvir algum passo ressoando na escada. Nada. Onde estaria meu tio naquele momento? Via-o correndo sob as belas árvores da estrada de Altona, gesticulando, batendo nos muros com sua bengala, atacando a relva com violência, decapitando os espinhos e perturbando o repouso das cegonhas solitárias.

Como voltaria, triunfante ou desanimado? Quem venceria: o segredo ou ele?

Enquanto pensava, peguei entre meus dedos a folha de papel sobre a qual se estendia a incompreensível série de letras traçadas por mim. Perguntava-me todo o tempo:

– O que significa isso?

Tentava agrupar as letras de modo a formar palavras. Impossível! Por mais que as reunisse em grupos de duas, três, cinco ou seis, não dava nada de inteligível. Agora, as décimas quarta, quinta e sexta palavras formavam o termo inglês *ice*. As octogésimas quarta, quinta e sexta formavam a palavra *sir*. Finalmente, observei também as palavras latinas *rota*, *mutabile*, *ira*, *nec* e atra no corpo do documento. E pensei mais:

– Diabos, essas últimas palavras parecem dizer que meu tio tem razão quanto à língua do documento! E vejo na linha quatro a palavra *luco*, que pode ser traduzida por bosque sagrado. É verdade que, na terceira linha, podemos ler o termo *tabi-*

led, completamente hebraico, e, na última, os vocábulos *mer*, *arc*, *mère*, puramente franceses.

Era de enlouquecer! Quatro idiomas naquela frase absurda!

Que relação poderia haver entre as palavras gelo, senhor, cólera, cruel, bosque sagrado, mutante, mãe, arco ou mar. Apenas o primeiro e o último teriam uma certa coerência entre si: não era nada surpreendente mencionarem num documento escrito na Islândia um mar de gelo. Mas daí a entender o resto do criptograma, era outro caso.

Lutava com uma dificuldade insolúvel. Meu cérebro fervia, meus olhos piscavam diante da folha de papel. As cento e trinta e duas letras pareciam esvoaçar ao meu redor, como aqueles pontos negros que aparecem no ar quando o sangue sobe muito violentamente à cabeça.

Parecia que estava vivendo uma alucinação. Sufocava, sentia falta de ar. Automaticamente, abanei-me com a folha de papel, e fiquei olhando sucessivamente sua frente e seu verso. Qual a minha surpresa quando, numa dessas reviravoltas rápidas, no momento em que o verso se voltava para mim, acreditei estar vendo aparecer palavras perfeitamente legíveis, palavras latinas, entre outras, *craterem* e *terrestre*!

De repente, compreendi tudo. Esses indícios me mostravam o caminho da verdade: eu descobrira a lei da cifra. Para entender o documento, nem era necessário voltar a ler pela folha invertida! Não. Era assim, assim me foi ditado, assim podia ser soletrado normalmente. Todas as combinações engenhosas do professor realizavam-se. Tinha razão quanto à disposição das letras, quanto à língua do documento! Nada era necessário para ler do começo ao fim a frase latina. E e acabava de descobrir!

Dá para imaginar como fiquei emocionado! Meus olhos turvaram-se, tornando-se inúteis. Havia disposto a folha de papel sobre a mesa. Bastava olhá-la para tornar-me detentor do segredo.

Finalmente consegui acalmar-me. Condenei-me a dar duas voltas no quarto para tranquilizar meus nervos e fui sentar-me novamente na confortável poltrona.

– Então, leiamos – exclamei para mim mesmo, após ter abastecido meus pulmões com muito ar.

Debrucei-me sobre a mesa, coloquei meu dedo sobre cada letra e, sem parar, sem hesitar, pronunciei a frase inteira em voz alta.

Mas que espanto! Um terror tomou conta de mim. Sentia-me como que atingido por um raio. O quê! O que eu acabara de saber acontecera! Um homem tivera audácia suficiente para chegar...

– Ah, não! Não, não, meu tio não saberá disso! – pensei, dando um pulo. Só faltava ele saber de tal viagem! Vai querer fazê-la! Nada conseguirá detê-lo! Um geólogo tão determinado! Vai fazê-la de qualquer forma, apesar de tudo, a despeito de tudo!

E vai levar-me com ele, e nós não voltaremos! Nunca! Nunca!

É difícil descrever minha agitação.

– Não, não, de jeito nenhum – disse com energia –, e como não posso evitar que meu tirano tenha tal ideia –, vou fazê-lo.

De tanto virar e revirar esse documento vai acabar descobrindo sua chave! Vou destruí-lo!

Ainda havia brasas na lareira. Peguei não somente a folha de papel, como também o livrinho de Saknussemm. Com as mãos febris, ia jogar tudo sobre os carvões e aniquilar o segredo perigoso, quando, de repente, a porta do gabinete foi aberta. Meu tio apareceu!

Capítulo 5

Quase não deu tempo de voltar a colocar o infeliz documento sobre a mesa.

O professor Lidenbrock parecia profundamente absorto. A ideia fixa não lhe dava um único momento de descanso. Era evidente que havia perscrutado e analisado o caso, que lançou mão de todos os recursos de sua imaginação durante o passeio e que vinha aplicar alguma nova combinação.

De fato, sentou-se em sua poltrona e, pena na mão, começou a estabelecer fórmulas que pareciam um cálculo algébrico.

Eu seguia com os olhos sua mão fremente, não perdia um único movimento seu. Surgiria algum resultado inesperado? Eu tremia sem motivo, pois, como já encontrara a verdadeira combinação, qualquer outra pesquisa era forçosamente vã.

Meu tio trabalhou sem parar por três horas, sem erguer a cabeça, apagando, rasurando, recomeçando mil vezes a tarefa.

Eu bem sabia que, se conseguisse organizar as letras de acordo com todas as posições relativas que podiam ocupar, encontraria a frase.

Mas também sabia que apenas vinte letras podem formar dois quintilhões quatrocentos e trinta e dois quatrilhões novecentos e dois trilhões oito bilhões cento e setenta e seis milhões seiscentas e quarenta mil combinações. Ora, havia cento e trinta e duas letras na frase, e essas cento e trinta e duas letras davam um número de frases diferentes composto de cento e trinta e três números pelo menos, número quase impossível de enunciar e que escapa a qualquer avaliação.

Fiquei mais tranquilo com esse meio heroico de resolver o problema. O tempo passou. A noite caiu. Os ruídos da rua diminuíram. Ainda debruçado em sua tarefa, meu tio nada viu, nem mesmo a boa Marthe, que entreabriu a porta. Nada ouviu, nem mesmo a voz da digna criada, que disse:

– O senhor não vai jantar hoje?

Marthe teve que ir embora sem resposta. Quanto a mim, após ter resistido por algum tempo, fui tomado por um sono invencível e adormeci num canto do canapé, enquanto o meu tio Lidenbrock continuava a calcular e rasurar. Quando acordei no dia seguinte, o trabalhador incansável continuava em suas pesquisas. Olhos vermelhos, rosto lívido, cabelos despenteados por suas mãos febris, maçãs do rosto aver-

melhadas, indicavam sua terrível luta contra o impossível e o cansaço mental, contra o esforço cerebral das últimas horas. Fiquei realmente com pena dele. Embora eu achasse que tinha o direito de censurá-lo, começava a sentir uma certa emoção.

O pobre homem estava tão possuído por sua ideia que se esquecia de enfurecer-se. Todas as suas forças vitais estavam concentradas num único ponto, e, como não escoavam naturalmente, era de temer-se que sua tensão fizesse com que explodisse de uma hora para outra.

Com um gesto, com uma única palavra poderia desapertar o anel de ferro que lhe esmagava o crânio! Mas não me mexi.

E, no entanto, eu tinha bom coração. Por que ficava mudo naquelas circunstâncias? Exatamente pelo interesse de meu tio.

– Não, não. Não falarei, repetia para mim mesmo. Vai querer ir até lá, conheço-o bem, nada o deterá. Tem uma imaginação vulcânica e, para fazer o que os outros geólogos não fizeram, arriscaria sua vida. Não falarei nada. Guardarei esse segredo que me foi revelado por acaso! Revelá-lo seria matar o professor Lidenbrock! Ele que adivinhe, se conseguir. Não quero carregar a culpa de tê-lo conduzido à perdição!

Resolvido isso, cruzei os braços e esperei. Mas não contara com um incidente que aconteceu algumas horas depois.

Quando a boa Marthe quis sair de casa para ir ao mercado, encontrou a porta fechada. A chave havia sumido da fechadura. Quem a tirou? É claro que meu tio, ao voltar, na véspera, de sua excursão apressada. Teria feito de propósito ou foi distração? Queria submeter-nos aos rigores da fome?

Achei que era demais. Imaginem! Marthe e eu, vítimas de uma situação com a qual nada tínhamos a ver!

Com certeza, e lembrei-me de um precedente de dar medo. De fato, há alguns anos, na época em que meu tio trabalhava em sua grande classificação mineralógica, ficou quarenta e oito horas sem comer, e toda a casa teve de se conformar à sua dieta científica. Tive câimbras no estômago bem pouco recreativas para um moço bastante voraz por natureza.

Ora, constatei que não iríamos ter café da manhã, assim como não tivéramos jantar. Resolvi, contudo, ser heroico e não ceder às exigências da fome. Marthe levava o caso muito a sério e estava desolada, pobre mulher! Já eu estava mais preocupado com a impossibilidade de sair de casa, e com razão. Estou certo de que todos me compreenderão.

Por volta do meio-dia, comecei realmente a sentir fome. Muito inocentemente, Marthe devorou na véspera as provisões da despensa; não havia mais nada em casa. Assim mesmo, resisti. Era uma espécie de questão de honra.

Deram duas horas. Aquilo começava a tornar-se ridículo e até intolerável. Esbugalhava os olhos. Começava a achar que havia exagerado na importância do documento; que meu tio não acreditaria em minhas deduções, que só veria nelas uma simples mistificação, que, na pior das hipóteses, conseguiria detê-lo contra sua vontade se quisesse arriscar a aventura e que, finalmente, ele mesmo poderia descobrir a chave da "cifra", o que tornaria minha abstinência completamente inútil.

Esses motivos, que eu teria rejeitado na véspera com indignação, pareceram-me excelentes. Achei até completamente absurdo ter esperado por tanto tempo e decidi contar tudo.

Procurava, portanto, uma forma de entrar no assunto que não fosse muito brusca, quando o professor se levantou, colocou o chapéu e preparou-se para sair.

O quê! Sair de casa e deixar-nos trancados. Nunca!

– Meu tio! – chamei.

Não pareceu ter me ouvido.

– Meu tio Lidenbrock! – repeti, falando mais alto.

– Hum? – resmungou como um homem que acaba de despertar.

– Então, e a chave?

– Que chave? A chave da porta?

– Não. A chave do documento! – exclamei.

O professor encarou-me por cima dos óculos. Sem dúvida notara algo de anormal na minha fisionomia, pois agarrou meu braço e, sem conseguir falar, interrogou-me com o olhar. No entanto, nunca uma pergunta foi formulada mais claramente. Concordei com a cabeça.

Ele sacudiu a sua mão com uma espécie de piedade, como se estivesse falando com um louco.

Fiz um gesto ainda mais afirmativo.

Seus olhos brilharam, sua mão tornou-se ameaçadora.

Essa conversa muda, naquelas circunstâncias, interessaria o espectador mais indiferente. E realmente começava a achar que não ousaria falar, pois temia que meu tio me sufocasse com seus primeiros abraços de alegria. Mas ele estava tão ansioso que tive de responder.

– Sim, essa chave... o acaso!

– O que você está dizendo? – perguntou com uma emoção indescritível.

– Veja – eu disse, apresentando-lhe a folha de papel na qual havia escrito. – Leia.

– Mas isso não quer dizer nada! – respondeu, amarrotando a folha.

– Não quer dizer nada se começarmos a ler pelo começo, mas lendo a partir do fim...

Mal havia terminado a frase, e o professor já dava um grito, mais do que um grito, um verdadeiro rugido! Acabara de ter a revelação. Estava transfigurado.

– Ah! Engenhoso Saknussemm! – exclamou. – Então você escreveu a frase ao contrário?

E precipitando-se para a folha de papel, olhar turvo, voz emocionada, leu o documento inteiro, seguindo da última letra até a primeira. Eram esses os termos da mensagem:

"In Sneffeis Yoculis craterem kem delibat umbra Scartaris Julii intra calendas descende, audas viator, et terrestre centrum attinges. Kod feci. Arne Saknussemm."

Em mau latim pode ser traduzido dessa maneira:

"Desça à cratera de Yocul do Sneffels, que a sombra do Scartaris vem acariciar antes das calendas de julho, viajante audacioso, e chegarás ao centro da Terra. Foi o que fiz. Arne Saknussemm."

Ao final da leitura, meu tio pulou como se tivesse levado um choque. Estava magnífico em sua audácia, alegria e convicção. Ia e vinha, segurava a cabeça com as duas mãos, tirava as cadeiras do lugar, empilhava livros, fazia malabarismos com seus preciosos geodos, o que parecia inacreditável; batia com o punho aqui, dava um tapa acolá. Finalmente acalmou-se e, como homem esgotado por um grande desperdício de energia, voltou a cair em sua poltrona.

– Que horas são, afinal? – indagou após alguns minutos de silêncio.

– Três horas – respondi.

– Que coisa! Digeri o almoço depressa demais. Estou morrendo de fome. Vamos comer. Depois...

– Depois?

– Vá fazer minha mala.

– O quê? – perguntei.

– E a sua também! – respondeu o implacável professor, entrando na sala de jantar.

Capítulo 6

Ao ouvir essas palavras, senti um arrepio percorrer todo o meu corpo, mas me contive.

Resolvi até parecer tranquilo. Somente argumentos científicos poderiam deter o professor Lidenbrock. Ora, havia muitos e bons contra a possibilidade de tal viagem. Ir ao centro da Terra! Que loucura! Guardei minha dialética para o momento oportuno e tratei de comer.

Inútil mencionar as queixas de meu tio contra a refeição pobre, mas acabou acatando as explicações. A boa Marthe foi libertada. Ela correu ao mercado e abasteceu tão bem a casa que uma hora depois, já sem fome, voltei e consegui pensar em todas as implicações da situação.

Meu tio estava mais leve durante a refeição; soltava algumas piadinhas de cientista que nunca são demasiadamente perigosas. Após a sobremesa, fez-me um sinal

para que o acompanhasse ao gabinete. Obedeci. Ele sentou-se numa ponta de sua mesa de trabalho, eu na outra.

– Axel – disse-me, numa voz bastante suave-, você é um rapaz muito esperto. Prestou-me um grande favor quando eu, esgotado, ia abandonar as pesquisas. Para onde eu seria levado? Ninguém sabe! Nunca me esquecerei disso, meu filho, e você terá sua parte em nossa glória.

Logo, pensei:

– Vamos! Ele está de bom humor. Está na hora de discutirmos essa glória.

– Antes de mais nada – continuou meu tio –, peço-lhe que guarde segredo de nossa descoberta. Não faltam invejosos no mundo da ciência, e muitos deles gostariam de fazer essa viagem, da qual só tomarão conhecimento após nosso retorno.

– O senhor acha que o número de audaciosos é tão grande assim? – perguntei.

– Claro, quem hesitaria em conquistar tamanha celebridade?

Se esse documento fosse divulgado, todo um exército de geólogos correria para seguir os rastros de Arne Saknussemm!

– Não estou tão certo disso, meu tio, pois nada comprova a autenticidade do documento.

– O quê! E o livro em que o descobrimos?

– Concordo que Saknussemm tenha escrito essas linhas, mas será que realmente fez essa viagem? Quem sabe se esse documento não passa de uma mistificação?

Quase lamentei ter pronunciado a última palavra, um tanto arriscada. O professor franziu suas espessas sobrancelhas e temi ter comprometido o resto da conversa. Mas não. Meu severo interlocutor esboçou uma espécie de sorriso e respondeu:

– É o que veremos.

– Ah – disse, um tanto melindrado –, permita-me esgotar a série de objeções relativas ao documento.

– Fale, meu filho, à vontade. Dou-lhe toda a liberdade de expressar sua opinião. Você não é mais meu sobrinho, mas meu colega. Fale!

– Antes de mais nada, gostaria de saber o que são esses Yocul, Sneffels e Scartaris, dos quais nunca ouvi falar.

– Nada mais simples. Por coincidência, recebi há algum tempo um mapa de meu amigo Augustos Peterman de Leipzig, que vem a calhar. Pegue o terceiro atlas na segunda prateleira da biblioteca grande, série Z, prancha 4.

Levantei-me e, graças às indicações precisas, encontrei rapidamente o atlas. Meu tio abriu-o e disse:

– Esse é um dos melhores mapas da Islândia, o de Handerson, e creio que poderá resolver todas as suas dúvidas.

Debrucei-me sobre o mapa.

– Veja essa linha formada de vulcões – disse o professor – e observe que todos têm o nome de Yocul, palavra que significa "geleira" em islandês. Sob a latitude alta da Islândia, a maioria das erupções atravessa camadas de gelo. Daí o nome de Yocul, comum a todos os montes que cospem fogo na ilha.

– Certo – respondi –, e o que é Sneffels?

Achei que ele não teria resposta a essa pergunta, no que estava enganado. Meu tio prosseguiu:

– Acompanhe-me pela costa ocidental da Islândia. Está vendo Reykjavik, a capital? Muito bem, suba pelos numerosos fiordes dessa região corroída pelo mar e pare um pouco abaixo do sexagésimo quinto grau de latitude. O que você vê ali?

– Uma espécie de península parecida com um osso descarnado, arrematado por uma rótula enorme.

– É uma comparação bastante correta, meu filho; e o que há nessa rótula?

– Um monte que parece ter brotado do mar.

– É o Sneffels.

– O Sneffels?

O próprio, uma montanha de mil e quinhentos metros de altura, uma das mais notáveis da ilha e, com certeza, a mais célebre do mundo se a sua cratera terminar no centro do globo.

– Mas é impossível! – exclamei, erguendo os ombros e revoltado com tal suposição.

– Impossível? – retrucou o professor Lidenbrock num tom severo. – Por quê?

– Porque com certeza essa cratera está obstruída por lavas, rochas incandescentes e então...

– E se for uma cratera extinta?

– Extinta?

– Exatamente. Atualmente só há trezentos vulcões em atividade na superfície do globo, mas há uma quantidade bem maior de vulcões extintos. Ora, inclui-se o Sneffels nessa última categoria, e desde os tempos históricos só entrou em erupção uma única vez, em 1219. A partir de então, foi acalmando-se e não é mais um vulcão em atividade.

Não contestei tais afirmações, mas lancei-me nas outras dúvidas levantadas pelo documento.

– O que significa a palavra Scartaris – perguntei – e o que tem tudo isso a ver com as calendas de julho?

Meu tio refletiu por alguns instantes. Tive um momento de esperança, mas só um, pois logo ele me respondeu nestes termos:

– O que você chama de dúvidas, para mim são soluções, que provam os cuidados engenhosos com os quais Saknussemm quis precisar sua descoberta. O Sneffels é formado por muitas crateras. Era, portanto, necessário indicar qual delas leva ao centro do globo. O que fez o sábio islandês? Observou que próximo às calendas de julho, ou seja, nos últimos dias de junho, um dos picos da montanha, o Scartaris, projetava a sua sombra na abertura da cratera em questão e anotou o fato em seu documento. Que indicação poderia ser mais exata? E, assim que chegarmos ao topo do Sneffels, creio que não hesitaremos quanto à direção a seguir.

Decididamente, meu tio tinha resposta para tudo. Percebi que seria impossível atacá-lo com as palavras do velho pergaminho. Por isso, parei de atormentá-lo a esse respeito. E como era preciso, antes de mais nada, demovê-lo da ideia da viagem, passei às objeções científicas que achava bem mais graves.

Depois, comentei:

– Tudo bem, a frase de Saknussemm é clara e não deixa qualquer dúvida. Concordo até que o documento pareça autêntico. Esse cientista foi ao fundo do Sneffels, viu a sombra do Scartaris acariciar as bordas da cratera antes das calendas de julho. Até ouviu lendas de seu tempo que afirmavam a cratera dar no centro da Terra, mas que ele próprio tenha ido ao centro da Terra e voltado, não acredito, não acredito mesmo!

– E por quê? – quis saber meu tio num tom irônico.

– Todas as teorias da ciência demonstram que tal aventura é impraticável!

– As teorias provam isso? – indagou o professor com um ar de benevolência. – Ah, que teorias malvadas! Como essas teorias nos atrapalham!

Percebi que estava zombando de mim, mas assim mesmo continuei:

– Claro! Está provado que o calor aumenta em um grau a cada vinte metros de profundidade da superfície do globo. Admitindo-se essa proporcionalidade constante, e sendo o raio terrestre de aproximadamente seis mil e quatrocentos quilômetros, a temperatura no centro passa de duzentos mil graus. As matérias do interior da Terra estão incandescentes, pois os metais, o ouro, a platina, as rochas mais duras, não resistem a tamanho calor. Tenho, então, motivos para questionar a possibilidade de entrar e permanecer em tal ambiente!

– Então o seu problema é o calor, Axel?

– Claro, chegando a uma profundidade de apenas cinquenta quilômetros, já teríamos alcançado o limite da crosta terrestre, e a temperatura já seria superior a mil e trezentos graus.

– E você tem medo de entrar em fusão?

– Cabe ao senhor resolver esse problema – respondi com humor.

– Resolvo da seguinte forma – replicou o professor Lidenbrock, assumindo ares de grande sábio: nem você, nem ninguém tem certeza do que acontece no interior do globo, já que se conhece apenas doze milésimos de seu raio. A ciência é iminentemente perfectível e cada nova teoria destrói uma velha. Não se acreditou até Fourier que a temperatura dos espaços planetários diminuía todo o tempo, e hoje acreditamos que a temperatura das regiões etéreas mais frias não ultrapassa quarenta ou cinquenta graus abaixo de zero? Por que não aconteceria o mesmo com o calor interno? Por que, numa determinada profundidade, não atingiria um limite intransponível em vez de subir?

Como meu tio colocou a questão no campo das hipóteses, não tive o que responder.

– Muito bem, digo-lhe que verdadeiros sábios, entre outros, Poisson, provaram que, se existisse um calor de duzentos mil graus no interior do globo, o gás incandescente das matérias fundidas adquiriria tamanha elasticidade que a crosta terrestre não resistiria e estouraria como as paredes de uma caldeira sob a pressão do vapor.

– É apenas a opinião de Poisson, meu tio...

– Está certo, mas outros geólogos célebres também acreditam que o interior do globo não é formado nem de gases, nem de água, nem das pedras mais pesadas que conhecemos, pois, nesse caso, o peso da Terra seria duas vezes menor.

– Ora, com números podemos provar tudo o que quisermos!

– E com fatos não? O número dos vulcões não diminuiu consideravelmente desde os primeiros dias do mundo numa proporção constante? E se é que existe esse calor central, será que não tende a diminuir?

– Meu tio, se o senhor entrar no campo das suposições, não teremos mais como discutir.

– Mas eu digo que gente muito competente é da mesma opinião que eu. Lembra-se de quando o célebre químico inglês Humphry Davy me visitou em 1825?

– Não posso lembrar, só nasci dezenove anos depois.

– Bem, Humphry Davy veio me visitar quando passou por Hamburgo. Ficamos conversando por um bom tempo e, entre outros problemas, discutimos a hipótese da liquidez do interior da Terra. Ambos concordávamos que essa liquidez não podia existir por uma razão que a ciência nunca conseguiu encontrar.

– Qual?

– Essa massa líquida estaria sujeita, como o oceano, à atração da Lua, e, consequentemente, duas vezes por dia existiriam marés internas que, ao erguerem a crosta terrestre, provocariam terremotos periódicos!

– É, no entanto, certo que a superfície do globo foi submetida à combustão, e é possível supor que a crosta exterior resfriou antes, enquanto o calor se refugiou no centro.

– Errado! – respondeu meu tio. – A Terra foi aquecida pela combustão de sua superfície e não por qualquer outro meio.

Sua superfície era composta de uma grande quantidade de metais, como o potássio e o sódio, que têm a propriedade de incendiar-se apenas ao contato com a terra e a água. Esses metais pegaram fogo quando os vapores atmosféricos se precipitaram como chuva no solo. Pouco a pouco, quando as águas penetraram nas fissuras da crosta terrestre, determinaram novos incêndios com explosões e erupções. Daí os inúmeros vulcões dos primeiros dias do mundo.

– Que hipótese engenhosa! – exclamei um pouco contra a minha vontade.

– Que Humphry Davy comprovou, aqui mesmo com uma experiência muito simples. Fez uma bola metálica, que representava nosso globo, com os metais que acabei de falar: quando vertíamos um pouco de orvalho em sua superfície, ela se dilatava, oxidava e formava uma pequena montanha, com uma cratera em cima; ocorria uma erupção que transmitia à bola inteira tanto calor que se tornava impossível segurá-la com as mãos.

Eu estava começando a convencer-me com os argumentos do professor, temperados, aliás, por seu ardor e entusiasmo habituais.

– Como você vê, Axel – acrescentou –, o estado do núcleo central inspirou muitas hipóteses aos geólogos; nada menos comprovado que o calor interno; eu acho que não existe, nem poderia. É o que veremos, e, como Arne Saknussemm, saberemos em que nos basear a respeito desse grande problema.

– É claro – respondi, sentindo-me atingido pelo entusiasmo – veremos se enxergarmos...

– Por que não enxergaríamos? Podemos contar com fenômenos elétricos para iluminar nosso caminho e até com a atmosfera que sua pressão pode tornar luminosa à aproximação do centro.

– Claro, Claro! – concordei. – Afinal, isso bem pode ser possível.

– É mais do que certo! – respondeu triunfalmente meu tio.

– Mas silêncio, entendeu? Silêncio sobre tudo isso para que ninguém tenha a ideia – e descobrir o centro da Terra antes de nós.

Capítulo 7

Assim terminou a memorável seção que muito me animou. Saí do gabinete do meu tio completamente perdido, e não havia ar suficiente nas ruas de Hamburgo para que eu me recuperasse.

Fui até as margens do Elba, junto à barcaça a vapor que liga a cidade à estrada de ferro de Harburg.

Estava realmente convencido? Não fora subjugado pelo professor Lidenbrock?

Deveria levar a sério sua decisão de ir ao centro do globo terrestre? Acabara de ouvir as especulações insensatas de um louco ou as deduções científicas de um grande gênio? Quais eram os limites entre a realidade e o erro?

Flutuava entre mil hipóteses contraditórias sem conseguir me agarrar a nenhuma. Lembrava-me, entretanto, de ter me convencido, embora meu entusiasmo começasse a diminuir. Gostaria de partir imediatamente para não ter tempo de pensar. Sim, no momento não teria me faltado coragem para fechar as malas. Devo confessar, no entanto, que, uma hora depois, minha empolgação diminuiu. Senti meus nervos relaxarem-se e, dos profundos abismos da terra, voltei à superfície.

– É um absurdo! Insensato! Isso não é proposta que se faça a um jovem de bom senso. Nada disso existe – exclamei.

Dormi mal, tive um pesadelo.

Enquanto pensava, segui pelas margens do Elba e dei a volta na cidade. Após ter passado pelo porto, cheguei à estrada de Altona. Era conduzido por um pressentimento, justificado, pois logo vi minha pequena Grauben, que voltava corajosamente a Hamburgo em passadas apressadas.

– Grauben! – gritei de longe.

A jovem parou, creio que um tanto perturbada por ouvir seu nome dessa forma numa estrada. Dez passos e estava a seu lado.

– Axel – surpreendeu-se. – Você veio me encontrar! Que bom!

Mas, ao olhar para mim, Grauben não se deixou enganar pelo meu ar inquieto, transtornado.

– O que há com você? – indagou, estendendo a mão.

– O que há comigo, Grauben? – perguntei.

Em dois segundos e três frases, pus minha bela virlandesa a par da situação. Ela ficou em silêncio por alguns instantes. Seu coração palpitava tanto quanto o meu?

Não sei, mas sua mão não tremia como a minha. Andamos uns cem passos em silêncio.

– Axel! – disse finalmente.

– Minha querida Grauben!

– Será uma bela viagem!

Fiquei estupefato com essas palavras.

– Sim, Axel, uma viagem digna do sobrinho de um sábio. Um homem deve distinguir-se por algum grande feito!

– O quê, Grauben, você não vai tentar demover-me da ideia de tal expedição?

– Não, caro Axel, e bem que eu acompanharia você e seu tio, se uma pobre moça não fosse atrapalhar...

– Sério?

– Sério.

Ah, mulheres, moças, corações femininos sempre incompreensíveis! Quando não são os mais tímidos dos seres, são os mais corajosos de todos! Nunca usam a razão. Imaginem! Aquela criança encorajava-me à expedição! Não teria medo de tentar a aventura! Ela me empurrava à viagem, eu a quem ela amava tanto!

Estava desconcertado e, até, envergonhado.

– Grauben, vamos ver se amanhã você dirá a mesma coisa.

– Com toda a certeza, Axel querido.

De mãos dadas, mas mudos, Grauben e eu continuamos andando. Estava cansado pelas emoções do dia. Meu pensamento nessa hora foi:

– Afinal de contas, ainda falta muito tempo para as calendas de julho, e daqui até lá talvez os acontecimentos façam com que meu tio se cure de sua mania de viajar sob a terra.

Já era noite quando chegamos à Königstrasse. Esperava encontrar a casa sossegada, meu tio deitado conforme seus hábitos e a boa Marthe dando suas últimas espanadas da noite na sala de jantar.

Esqueci, contudo, da impaciência do professor. Encontrei-o gritando e agitando-se no meio de uma tropa de carregadores que descarregava certas mercadorias na rua; a velha criada não sabia o que fazer.

– Ande, Axel, venha de uma vez, infeliz! – gritou meu tio quando me viu ao longe. – Ainda não fez sua mala, meus papéis não estão em ordem, não acho a chave de minha sacola de viagem, e minhas polainas que não chegam!

Fiquei pasmo. Perdi a voz. Mal consegui articular estas palavras:

– Então estamos de partida?

– Claro, infeliz, que vai passear em vez de ficar por aqui!

– Estamos de partida? – repeti com a voz mais fraca.

Não quis ouvir mais nada. Fugi para o meu quartinho. Não havia mais dúvidas. Meu tio passou sua tarde comprando uma parte dos objetos e utensílios necessários à sua viagem. A calçada estava atulhada de escadas de corda, cordas com nós, tochas, cantis, ganchos de ferro, picaretas, bastões de ferro, pás, carregamento para, no mínimo, dez homens.

Passei uma noite horrorosa. No dia seguinte, acordaram-me muito cedo. Tinha decidido não abrir a porta. Mas como resistir à voz suave que dizia: "Meu querido Axel"?

Saí do quarto. Achei que meu ar desfigurado, minha palidez e meus olhos vermelhos pela falta de sono iriam comover Grauben e fazê-la mudar de ideia.

– Ah, meu querido Axel – disse –, estou vendo que você está melhor e que a noite o acalmou.

– Acalmou! – exclamei.

Corri para o espelho e constatei... que meu aspecto não estava tão ruim quanto supunha. Era inacreditável.

– Axel – disse Grauben –, conversei muito com meu tutor. É um cientista ousado, homem de muita coragem, e você deve lembrar-se de que o sangue dele corre em suas veias. Contou-me sobre seus planos, suas esperanças, por que e como pretende alcançar seu objetivo. Tenho certeza de que conseguirá!

Ah! Caro Axel, como é bonito dedicar-se à ciência com tanto empenho! Quanta glória aguarda o Sr. Lidenbrock e seu companheiro! Quando voltar, Axel, você será um homem, sem igual, livre para falar, livre para agir, livre enfim para...

A jovem, corando, não conseguiu concluir. Suas palavras reanimaram-me. Contudo, ainda não queria acreditar em nossa partida. Arrastei Grauben para o gabinete do professor.

– Tio – disse –, então iremos mesmo?

– O quê? Você ainda tem dúvidas?

– Não – disse para não o contrariar. – Só quero saber o porquê de tanta pressa.

– O tempo urge! O tempo corre com uma velocidade irreparável.

– Mas hoje é apenas 26 de maio, e até o fim de junho...

– E você acha, seu ignorante, que é tão fácil assim chegar à Islândia? Se você não tivesse saído correndo como um louco, teria me acompanhado à Representação de Copenhague, Liffender e Cia., e teria constatado que o único transporte de Copenhague a Reykjavik parte todo mês, no dia 22.

– E então?

– E então, se esperássemos o dia 22 de junho, chegaríamos tarde demais para ver a sombra do Scartaris acariciar a cratera do Sneffels. Temos que ir a Copenhague o mais rápido possível para tentar achar por lá um outro meio de transporte. Vá arrumar sua mala!

Não havia o que responder. Voltei a subir para o meu quarto. Grauben acompanhou-me e tratou de arrumar numa malinha os objetos necessários à minha viagem. Ela agia como se eu estivesse partindo para um passeio em Lubeck ou Heligoland. Suas mãozinhas iam e vinham sem desespero. Calmamente, conversava e dava razões das mais sensatas para nossa expedição. Enfeitiçava-me e eu sentia raiva dela. Por vezes, demonstrei desapontamento, mas ela ignorava e continuava a executar sua tarefa tranquilamente. Finalmente fechou a última fivela da mala. Desci para o térreo.

No decorrer daquele dia, os fornecedores de instrumentos de física, de armas, de aparelhos elétricos multiplicaram-se. A boa Marthe estava atordoada.

– O patrão enlouqueceu? – perguntou.

Fiz um sinal afirmativo.

– E vai levar o senhor com ele?

Mais uma afirmação.

– Para onde? – quis saber.

Indiquei o centro da Terra com o dedo.

– Ao porão? – indagou a velha criada.

– Não – disse finalmente –, ainda mais para baixo!

Anoiteceu! Nem havia percebido o tempo passar.

– Até amanhã – disse meu tio. – Partiremos às seis em ponto.

Às dez horas caí na cama como uma massa inerte. Durante a noite voltei a ficar apavorado. Só sonhei com abismos! Estava à beira do delírio. Sentia a mão vigorosa do professor apertar-me, arrastar-me, afundar-me, enterrar-me! Caía no fundo de precipícios insondáveis na velocidade crescente dos corpos abandonados no espaço. Minha vida não passava de uma queda interminável. Acordei às cinco horas, morto de cansaço e de emoção. Desci para a sala de jantar. Meu tio estava sentado à mesa e devorava a refeição. Olhei-o com um sentimento de horror. Grauben estava ali. Não disse nada. Não consegui comer. Às cinco e meia, ouvi o ruído de um veículo na rua. Chegava para levar-nos à estação de Altona. Logo estava atulhado de pacotes de meu tio.

– E a sua mala? – perguntou.

– Está pronta – respondi desfalecendo.

– Então ande logo, senão perderemos o trem!

Pareceu-me impossível lutar contra o destino. Subi até meu quarto e, deixando a mala escorregar pelos degraus da escada, corri atrás dele. Naquele momento, meu tio passava às mãos de Grauben as "rédeas" da casa. Minha bela virlandesa estava calma como de hábito. Deu um beijo em seu tutor e não conseguiu evitar uma lágrima que roçou meu rosto através de seus lábios suaves.

Marthe e a jovem deram-nos um último adeus.

– Grauben! – gritei.

– Vá, meu querido Axel – disse –, você está abandonando sua noiva, mas, quando voltar, encontrará sua mulher.

Apertei Grauben em meus braços e entrei no carro. Da porta, Marthe e a moça deram-nos o último adeus. Depois, os dois cavalos, excitados pelo assobio do cocheiro, lançaram-se a galope pela estrada de Altona.

Capítulo 8

Altona, verdadeiro subúrbio de Hamburgo, é a primeira estação da estrada de ferro de Kiel, que deveria nos levar às costas dos estreitos de Belt. Em menos de vinte minutos, já estávamos no território de Holstein.

Às seis e meia, o carro parou diante da estação. Os inúmeros pacotes de meu tio, seus volumosos artigos de viagem, foram descarregados, transportados, pesados, etiquetados, recarregados no vagão de bagagem e, às sete horas, estávamos sentados um diante do outro no mesmo compartimento. O vapor assobiou, a locomotiva começou a andar. Havíamos partido.

Eu estava resignado? Ainda não. No entanto, o ar fresco da manhã, os detalhes da estrada, que se renovavam com rapidez pela velocidade do trem, distraíam-me de minha grande preocupação.

Quanto à mente do professor, evidentemente adiantava-se àquele comboio lento demais para sua impaciência. Éramos os únicos no vagão, mas não nos falávamos. Meu tio revirava seus bolsos e sua sacola de viagem com uma atenção minuciosa. Percebi que não lhe faltavam os objetos necessários à execução de seus projetos.

Entre outras coisas, uma folha de papel dobrada com cuidado levava o cabeçalho da chancelaria dinamarquesa com a assinatura do Sr. Christiensen, cônsul em Hamburgo e amigo do professor. Essa referência deveria nos facilitar em Copenhague a obtenção de recomendações para o governador da Islândia.

O famoso documento estava preciosamente escondido no bolsinho mais secreto da carteira. Amaldiçoei-o do fundo do coração e voltei a examinar a região. Consistia numa vasta sequência de planícies pouco curiosas, monótonas, lamacentas e bastante férteis: um campo muito favorável ao estabelecimento de uma ferrovia e propício àquelas linhas retas tão caras às companhias de estrada de ferro.

Mas nem deu tempo de me cansar com aquela monotonia, pois, três horas depois de nossa partida, o trem parava em Kiel, bem perto do mar. Como nossas bagagens já haviam sido despachadas para Copenhague, meu tio não teve de se preocupar com elas. No entanto, acompanhava-as com um olhar inquieto enquanto eram transportadas para o barco a vapor, onde desapareceram no porão.

Em sua pressa, meu tio havia calculado tão bem os horários de ligação entre trem e barco que tivemos de aguardar o dia inteiro. O vapor Ellenora só partiria à noite.

Daí uma ansiedade de nove horas, durante as quais o irascível viajante mandou aos diabos a empresa de barcos e a ferroviária e os governos que toleravam tal abuso. Tive de apoiá-lo quando atormentou o capitão do Ellenora a esse respeito. Queria obrigá-lo a ligar as caldeiras naquele momento. O outro mandou-o ao inferno.

Como em qualquer outra parte do mundo, em Kiel o dia também passa. Passeando pelas costas verdejantes da baía, ao fundo da qual se ergue a cidadezinha, percorrendo os bosques cerrados que lhe dão o aspecto de um ninho num feixe de ramos, admirando as mansões, cada uma com sua casinha de banhos frios, finalmente, correndo e praguejando, chegamos às dez da noite. Os turbilhões de fumaça do Ellenora erguiam-se no céu. A ponte estremecia com os tremores da caldeira. A bordo, éramos proprietários de dois catres no único camarote do barco.

Largaram as amarras às dez e quinze, e o navio singrou rapidamente pelas águas escuras do Grande Belt. A noite estava fechada. Havia muito vento, e o mar estava bravo. Algumas luzes da costa apareceram nas trevas. Mais tarde, não sei onde, um farol brilhou sobre as ondas. Essas são as minhas lembranças da primeira travessia.

Às sete horas da manhã, desembarcamos em Korsör, cidadezinha situada na margem ocidental do Sjaeland. Ali, saltamos do barco para outro trem, que nos transportou por uma região não menos plana do que os campos do Holstein. Faltavam ainda três horas para chegarmos à capital da Dinamarca. Meu tio não havia dormido durante a noite. Em sua impaciência, acho que empurrava o vagão com os pés. Finalmente viu um pedaço de mar.

– O Sund! – exclamou.

Havia à nossa esquerda uma ampla construção que parecia um hospital.

– É um hospício – disse um dos nossos companheiros de viagem.

Na hora, pensei:

– Eis um estabelecimento onde deveríamos acabar nossos dias. E por maior que seja, esse hospício ainda seria pequeno demais para conter toda a loucura do professor Lidenbrock!

Finalmente, às dez horas da manhã, desembarcamos em Copenhague. As bagagens foram colocadas num carro e levadas conosco ao Hotel Phoenix em Bred-Gale. Foi um trajeto de meia hora, pois a estação é fora da cidade. Depois de uma toalete sumária, meu tio arrastou-me com ele. O porteiro do hotel falava alemão e inglês, mas, em sua qualidade de poliglota, meu tio fez-lhe perguntas em bom dinamarquês, e foi em bom dinamarquês que esse personagem orientou como chegar ao Museu de Antiguidades do Norte.

O diretor do curioso estabelecimento, onde estão amontoadas as maravilhas que permitem reconstruir a história do país, com suas velhas armas de pedra, seus cálices e suas joias, era um cientista amigo do cônsul de Hamburgo, o professor Thomson.

Meu tio tinha uma bela carta de recomendação para ele. Geralmente, um cientista recebe muito mal um outro. Mas não foi nada disso o que aconteceu. O Sr. Thomson, homem prestativo, acolheu cordialmente o professor Lidenbrock e até seu sobrinho. Não é necessário mencionar que meu tio nada falou de seu segredo para o excelente diretor do museu. Queríamos simplesmente visitar a Islândia como turistas desinteressados.

O Sr. Thomson colocou-se à nossa inteira disposição, e corremos pelo cais para procurar um navio de partida.

Eu esperava que não houvesse qualquer meio de transporte, mas não foi isso o que aconteceu. Uma pequena escuna dinamarquesa, a Valquíria, singraria para Reykjavik a 2 de junho. O capitão, Sr. Bjarne, encontrava-se a bordo. Em sua alegria, seu futuro passageiro apertou-lhe tanto a mão que quase a quebrou. O bom homem ficou um tanto surpreso com tamanha cordialidade. Achava simples ir à Islândia: era sua profissão. Já meu tio achava isso sublime. O digno capitão aproveitou o entusiasmo para cobrar-nos o dobro pela travessia. Mas nem percebemos.

– Estejam a bordo na terça-feira, às sete da manhã – disse o Sr. Bjarne, depois de ter embolsado um número respeitável de dólares. Agradecemos ao Sr. Thomson pela sua solicitude e voltamos ao Hotel Phoenix.

– Está tudo indo muito bem! Muito bem! – repetia meu tio. – Que coincidência encontrarmos uma embarcação prestes a partir! Vamos comer e depois visitar a cidade.

Fomos a Kongens-Nye-Torw, praça irregular, onde há um quartel com dois canhões inocentes apontados, que não amedrontam ninguém. Perto dali, no número 5, havia um restaurante francês, de propriedade de um cozinheiro chamado Vincent. Comemos o suficiente pelo preço moderado de quatro marcos cada um.

Foi com o prazer de uma criança que percorri a cidade. Meu tio andava a esmo. Aliás, nada viu, nem o insignificante palácio do rei, nem a linda ponte do século XVII que atravessa o canal diante do museu, nem o imenso cenotáfio de Torwaldsen, ornado de pinturas murais horrorosas e dentro do qual há obras desse escultor, nem, num parque bastante belo, o castelinho de Rosenborg. Não viu nem o admirável edifício Renascença da Bolsa, nem seu campanário formado pelas caudas entrelaçadas de quatro dragões de bronze, nem os grandes moinhos das muralhas, cujas asas se inflavam como as velas de um navio ao vento do mar.

Que passeios deliciosos minha bela virlandesa e eu teríamos dado perto do porto, onde os barquinhos e as fragatas dormiam tranquilamente sob seus telhados vermelhos, pelas margens verdejantes do estreito, entre as sombras frondosas dentro das quais se esconde a cidadela, cujos canhões estendem suas goelas enegrecidas entre os ramos dos sabugueiros e dos salgueiros!

Mas, infelizmente, minha querida Grauben estava longe. Deveria eu alimentar a esperança de revê-la um dia?

Embora meu tio nem tivesse reparado nesses sítios encantadores, um certo campanário situado na Ilha de Amak, que forma o bairro sudoeste de Copenhague, chamou-lhe a atenção. Recebi ordem de ir naquela direção. Subi num barquinho que servia os canais, que em poucos instantes abordou o cais de DockYard.

Após termos atravessado algumas ruas estreitas, onde alguns galerianos de calças amarelas e cinza trabalhavam sob os cassetetes da polícia, chegamos a Vor-Frelsers-Kirk, igreja que nada tinha de notável. Fora seu campanário muito alto que chamou a atenção do professor: a partir da plataforma, uma escada externa rodeava a flecha, e suas espirais desenrolavam-se em pleno céu.

– Subamos! – disse meu tio.
– E a vertigem? – repliquei.
– Mais um motivo para subirmos, precisamos nos acostumar.
– Mas...
– Ande, vamos, não temos tempo a perder.

Foi preciso obedecer. Um guarda que morava do outro lado da rua cedeu-nos uma chave e começamos a subir. Meu tio ia na frente com passos decididos. Eu segui atrás dele, não sem terror, pois minha cabeça começava a girar com uma facilidade deplorável. Não tinha nem o aprumo das águias nem a insensibilidade de seus nervos.

Enquanto estávamos aprisionados na escada interna em caracol, tudo correu bem; após uns cinquenta degraus senti o vento açoitar o meu rosto: havíamos chegado à plataforma do campanário.

Ali começava a escada aérea, protegida por um frágil corrimão e cujos degraus, cada vez mais estreitos, pareciam subir até o infinito.

– Nunca conseguirei! – gritei.
– Você é um covarde, por acaso? Suba! – ordenou o professor sem a menor compaixão.

Fui obrigado a segui-lo, agarrando-me onde era possível. O vento atordoava-me, sentia o campanário oscilar com as rajadas; minhas pernas falhavam. Logo estava subindo de joelhos, depois, de barriga. Sentia vertigens. Finalmente, com meu tio puxando-me pelo colarinho, chegamos ao topo.

– Olhe, e olhe bem! – disse. – Você tem de ter aulas de abismo!

Abri os olhos e vi as casas achatadas, como que esmagadas por uma queda em meio de uma cerração de fumaça. Sobre minha cabeça passavam nuvens descabeladas, e por uma inversão de ótica, pareciam-me imóveis, enquanto o campanário, o topo e eu estávamos sendo arrastados a uma velocidade fantástica. Ao longe, de um lado, estendia-se o campo verdejante, de outro, brilhava o mar sob um feixe de raios. O Sund desenrolava-se na ponta de Helsingör com algumas velas brancas, verdadeiras asas de gaivota, e na bruma leste ondulavam as costas mal veladas da Suécia. A meus olhos, toda aquela imensidão rodopiava.

Mesmo assim, tive que me levantar, me endireitar e olhar. Minha primeira aula de vertigem durou uma hora. Quando finalmente obtive permissão de voltar a descer e pisar no calçamento sólido das ruas, estava exausto.

– Amanhã faremos tudo isso de novo – avisou meu professor.

E, de fato, durante cinco dias prossegui naquele exercício vertiginoso e, querendo ou não, progredi sensivelmente na arte das "elevadas contemplações".

Capítulo 9

Chegou o dia da partida. Na véspera, o gentil Sr. Thomson trouxe para nós cartas de recomendação decisivas para o conde Trampe, governador da Islândia, para o Sr. Pictursson, coadjutor do bispo, e para o Sr. Finsen, prefeito de Reykjavik.

Como retribuição, meu tio outorgou-lhe apertos de mão dos mais calorosos. No dia 2, às seis da manhã, nossas bagagens já estavam a bordo da Valquíria. O capitão conduziu-nos a cabines bastante estreitas e dispostas sob uma espécie de camarote de convés.

– O vento está bom? – perguntou meu tio.

– Excelente – respondeu o capitão Bjarne –, de sudeste. Sairemos do Sund com vento propício, com todas as velas içadas.

Alguns minutos depois, sob sua mezena, bergantim, gávea e joanete, a escuna aparelhou e alcançou rapidamente o estreito.

Uma hora depois, a capital da Dinamarca parecia mergulhada nas ondas distantes, e a Valquíria roçava as costas de Helsingör.

No meu estado de espírito, esperava ver a sombra de Hamlet vagando no terraço lendário. "Insensato sublime, você, com certeza, aprovaria nossa viagem! Talvez até nos acompanhasse ao centro do globo para procurar uma solução à sua dúvida eterna!", assim eu pensava.

Mas nada surgiu nas antigas muralhas. O castelo, aliás, é bem mais novo que o príncipe heroico da Dinamarca. Hoje em dia serve de guardião suntuoso àquele estreito, por onde passam, por ano, quinze mil navios de todas as nações. Logo o castelo de Krongborg desapareceu nas brumas, assim como a torre de Helsinborg, na costa sueca, e a escuna inclinou-se levemente sob as brisas do Kattegat.

A Valquíria era um bom barco a vela, mas nunca se sabe o que esperar de uma embarcação desse tipo. Transportava para Reykjavik carvão, utensílios domésticos, cerâmica, roupas de lã e um carregamento de trigo. Bastavam cinco homens, todos dinamarqueses, para manobrá-la.

– Quanto tempo levará a travessia? – perguntou meu tio ao capitão.

– Uns dez dias, se não depararmos com muitas rajadas noroeste perto de Féroe – explicou o capitão.

– Vocês não costumam sofrer atrasos consideráveis, espero...

– Não, Sr. Lidenbrock, fique tranquilo, chegaremos a tempo. À noitinha, a escuna dobrou o cabo Skagen na extremidade norte da Dinamarca, atravessou Skagerrak durante a noite, navegou ao longo dos limites da Noruega pelo cabo Lindesnes e desembocou no mar do Norte.

Dois dias depois, avistamos as costas da Escócia na altura de Peterhead, e a Valquíria dirigiu-se para o Féroe, passando entre as Órcades e as Shetland. Logo as ondas do Atlântico batiam contra nossa escuna, que foi obrigada a enfrentar o vento norte para alcançar, com bastante dificuldade, o Féroe.

No dia 8, o capitão reconheceu Myganness, a ilha mais oriental, e, a partir daquele momento, rumou direto para o Cabo Portland, situado na costa meridional da Islândia. Nenhum incidente significante marcou a travessia. Suportei bastante bem as provações do mar; para sua grande irritação e vergonha, meu tio passou o tempo todo enjoado.

Não conseguiu, portanto, discutir com o capitão Bjarne a respeito do Sneffels, dos meios de comunicação e dos meios de transporte para alcançá-lo. Teve de adiar todas essas informações para o momento da chegada, e passou o tempo todo deitado em sua cabine, cujas divisórias rangiam com o balanço. Devo confessar que merecia essa provação.

No dia 11, avistamos o Cabo Portland. Como o tempo estava aberto, foi possível ver o Myrdals Yocul, que o domina. O cabo é composto por um grande morro de encostas íngremes, plantado sozinho na praia.

A Valquíria percorreu a costa a uma boa distância, em meio a numerosas baleias e tubarões. Logo apareceu um imenso rochedo completamente descoberto no qual o mar espumante batia com fúria. As ilhotas de Westman pareceram brotar do oceano, como uma disseminação de rochas na planície líquida. A partir daquele momento, a escuna tomou impulso para dobrar a uma boa distância o cabo de Reykjaness, que forma o ângulo ocidental da Islândia.

O mar muito bravo impedia que meu tio subisse à ponte para admirar as costas retalhadas e fustigadas pelo vento sudoeste. Quarenta e oito horas depois, saindo de uma tempestade que obrigou a escuna a fugir e recolher o velame, avistamos a leste a baliza da ponta Skagen, cujas rochas perigosas estendem-se a uma grande distância sob as ondas. Um piloto islandês subiu a bordo, e três horas depois a Valquíria abordava Reykjavik na baía de Faxa.

Finalmente, o professor saiu de sua cabine um pouco pálido, um pouco desfigurado, mas sempre entusiasmado e com ar de satisfação. A população da cidade, muito interessada pela chegada de um navio no qual todos têm algo a pegar, amontoava-se no cais.

Meu tio tinha pressa em abandonar sua prisão flutuante, para não dizer seu hospital. Mas antes de deixar a ponte da escuna, conduziu-me à proa, de onde me apontou a parte setentrional da ilha, uma montanha alta de duas pontas, dois cones cobertos de neves eternas.

– O Sneffels! – gritou. – O Sneffels!

Depois de ter me recomendado com um gesto de sigilo absoluto, desceu ao bote que o esperava. Segui-o, e logo pisamos o solo da Islândia. Primeiro apareceu um homem bem elegante em trajes de general. Era, entretanto, um simples magistrado, o governador da ilha, o senhor barão Trampe em pessoa. O professor logo reconheceu o personagem. Apresentou ao governador suas cartas de Copenhague, e conversaram um pouco em dinamarquês, conversa que não compreendi, é claro. Mas o resultado da primeira entrevista foi que o barão Trampe colocava-se à disposição do professor Lidenbrock.

Meu tio foi acolhido com bastante gentileza pelo prefeito, o Sr. Finsen, não menos militar pelo traje do que o governador, mas tão pacífico quanto por temperamento e condição. Quanto ao coadjutor, o Sr. Pictursson, fazia uma visita episcopal no bailiado do Norte; não seríamos apresentados a ele tão cedo.

Em compensação, conhecemos um homem encantador, o Sr. Fridriksson, professor de ciências naturais na escola de Reykjavik, que muito nos ajudou. Esse modesto cientista só falava islandês e latim; ofereceu-me seus serviços na língua de Horácio, e senti que tínhamos sido feitos para nos entender. Foi, de fato, a única pessoa com quem pude conversar durante minha estada na Islândia.

O excelente homem colocou à nossa disposição dois dos três cômodos de sua casa, onde logo nos instalamos com nossa bagagem, cujo volume espantou bastante os habitantes de Reykjavik.

– Muito bem, Axel – disse meu tio –, está tudo indo muito bem, já conseguimos fazer o mais difícil.

– Como o mais difícil? – perguntei.

– Claro, agora só falta descer!

– Se o senhor encarar o problema por esse prisma, tem razão; mas depois de descermos, imagino que vai ser preciso subir?

– Ora, isso não me preocupa! Bem, não temos tempo a perder. Vou à biblioteca. Talvez encontre algum manuscrito de Saknussemm que seria bom consultar.

– Então, nesse meio-tempo vou visitar a cidade, o senhor não quer ir?

– Ah, não me interessa muito. Nesta terra de Islândia, o mais interessante não está em cima da terra, mas debaixo dela.

Saí e comecei a andar a esmo. Perder-se nas duas ruas de Reykjavik não era nada fácil. Não fui, portanto, obrigado a pedir informações, o que, na linguagem dos gestos, teria me exposto a muitos enganos.

A cidade estende-se num solo bastante baixo e pantanoso entre duas colinas. Uma imensa corrente de lavas cobre-a de um lado e desce em rampas bastante suaves. Do outro, está a vasta Baía de Faxa, cujo limite ao norte é a imensa geleira do Sneffels, onde apenas a Valquíria estava ancorada naquele momento.

Normalmente, as frotas pesqueiras inglesa e francesa permanecem ao largo, mas estavam, então, em serviço nas costas orientais da ilha.

A rua mais comprida de Reykjavik é paralela à praia. Ali moram os comerciantes e negociantes em cabanas de toras dispostas na horizontal; a outra rua, situada mais a oeste, corre para um laguinho entre as casas do bispo e as de outras personalidades que não lidam com comércio.

Em pouco tempo palmilhei as ruas mornas e tristes. Por vezes entrevia um pedacinho de gramado descolorido, como um velho tapete de lã puído ou uma espécie de horta com poucos legumes – batatas, repolhos e alface –, que de tão mirrados pareciam crescer para servir de refeição a anõezinhos; alguns goiveiros doentios tentavam também tomar um pouco de sol.

No meio da rua não-comercial, dei com um cemitério público fechado por uma parede de barro, onde não faltava lugar. Mais alguns passos e cheguei à casa do governador, um casebre, se comparado ao palácio do governo de Hamburgo, mas um palácio ao lado das cabanas da população islandesa.

Entre o laguinho e a cidade, erguia-se a igreja, construída, segundo o gosto protestante, com pedras calcinadas que os vulcões fornecem à vontade; seu teto de telhas vermelhas devia voar pelos ares quando fustigado pelo vento oeste, para grande prejuízo dos fiéis.

Numa colina próxima, vi a escola nacional onde, como soube mais tarde, se lecionava hebraico, inglês, francês e dinamarquês, quatro línguas das quais, para minha vergonha, não conhecia uma única palavra.

Seria o último dos quarenta alunos do pequeno colégio, e indigno de dormir com eles naqueles armários de duas divisões, nos quais os mais delicados se sentiriam sufocados desde a primeira noite.

Em três horas já visitara não somente a cidade como também os arredores. Tudo parecia extremamente triste. Não havia árvores ou vegetação. Por toda parte as arestas marcadas das rochas vulcânicas. As cabanas dos islandeses são feitas de barro e turfa, as paredes inclinadas por dentro. Parecem tetos colocados no chão. Só esses tetos são pradarias relativamente férteis. Graças ao calor da moradia, a relva brota bastante bem. É cortada na época da ceifa, o que impede os animais domésticos de virem pastar nas casinhas verdejantes.

Durante meu passeio, encontrei poucos habitantes. Ao voltar à rua comercial, vi a maior parte da população ocupada em secar, salgar e carregar bacalhaus, principal artigo de exportação. Os homens pareciam robustos, mas pesados. Tratava-se de uma espécie de alemães louros, olhar pensativo, que se sente um pouco fora da humanidade, pobres exilados relegados àquela terra de gelo, onde a natureza podia tê-los feito esquimós, já que os condenava a viver no limite do círculo polar!

Tentava em vão surpreender um sorriso em seu rosto. Riam às vezes por uma espécie de contração involuntária dos músculos, mas nunca sorriam.

Seu traje consistia num grosseiro blusão de lã preta, conhecida nos países escandinavos como *vadmel*, um chapéu de grandes abas, calças com barras vermelhas e um pedaço de couro dobrado à guisa de calçado.

As mulheres, de rosto triste e resignado, aspecto bastante agradável, mas inexpressivo, vestiam um corpete e uma saia de *vadmel* escura. As mocinhas usavam em seus cabelos trançados em coroas um bonezinho de tricô marrom. As casadas amarravam na cabeça um lenço colorido, sobre o qual colocavam uma cimeira de tecido branco.

Quando voltei de meu longo passeio à casa do Sr. Fridriksson, meu tio já estava em companhia de seu anfitrião.

Capítulo 10

O jantar estava pronto. Foi devorado com avidez pelo professor Lidenbrock, cuja dieta forçada a bordo transformou seu estômago num abismo profundo. O jantar, mais dinamarquês que islandês, nada tinha de notável em si, mas nosso anfitrião, mais islandês do que dinamarquês, lembrou-me os heróis da antiga hospitalidade. Pareceu-me evidente que nos sentíamos mais em casa do que ele mesmo.

A conversa transcorria em língua indígena, que meu tio entremeava de alemão, e o Sr. Fridriksson, de latim, para que eu compreendesse. O assunto eram questões científicas, como convém a sábios; mas o professor manteve-se em sua reserva mais excessiva, e seus olhos recomendavam-me, a cada frase, um silêncio absoluto quanto aos nossos projetos futuros.

Em primeiro lugar, o Sr. Fridriksson interessou-se pelos resultados das pesquisas de meu tio na biblioteca.

– Sua biblioteca! Não passam de livros espremidos em estantes quase desertas! – exclamou o último.

– O quê! – respondeu o Sr. Fridriksson. – Possuímos oito mil volumes muito raros e preciosos, obras na antiga língua escandinava, e todas as novidades fornecidas todo ano por Copenhague!

– Onde estão esses oito mil volumes? Só vi...

– Ah, Sr. Lidenbrock, eles percorrem o país. Todos gostam de estudar em nossa velha ilha de gelo, todo fazendeiro, todo pescador sabe ler e lê. Achamos que, em vez de ficarem embolorando numa estante, distantes de olhares curiosos, os livros devem se destinar aos leitores. Esses volumes passam de mão em mão, são folheados, lidos e relidos, e, em geral, só voltam à prateleira depois de um ano ou dois de ausência.

– Enquanto isso, os estrangeiros... – disse meu tio com um certo despeito.

– O que podemos fazer? Os estrangeiros têm suas próprias bibliotecas, e, para nós, é mais importante que nossos camponeses se instruam. Repito-lhe, o islandês tem amor pelo estudo.

Em 1816, fundamos uma sociedade literária que vai indo muito bem. Os cientistas estrangeiros sentem-se honrados de participarem dela; publica livros destinados à educação de nossos compatriotas e presta inúmeros serviços ao país. Se o senhor quiser ser um de nossos membros correspondentes, Sr. Lidenbrock, pode estar certo de que nos dará muito prazer.

Meu tio, que já pertencia a uma centena de sociedades científicas, aceitou o convite com tanto reconhecimento que tocou o Sr. Fridriksson.

– Agora – retomou o último –, diga-me quais livros o senhor esperava encontrar em nossa biblioteca, e talvez eu possa informá-lo a respeito deles.

Olhei para meu tio, que hesitava em responder, já que isso se referia diretamente a seus projetos. Após refletir, porém, resolveu falar.

– Sr. Fridriksson – disse –, gostaria de saber se entre suas obras antigas não há algumas de Arne Saknussemm.

– Arne Saknussemm! – respondeu o professor de Reykjavik. – O senhor está falando do cientista do século XVI, ao mesmo tempo grande naturalista, grande alquimista e grande viajante?

– Precisamente.
– Uma das glórias da literatura e da ciência islandesa?
– Exatamente.
– Um homem mundialmente ilustre?
– Com toda a certeza!
– E cuja audácia beira a genialidade?
– Estou vendo que o senhor o conhece bem.

Meu tio quase se afogava na alegria de ouvir falar de seu herói dessa forma. Devorou o Sr. Fridriksson com os olhos.

– E então, onde estão suas obras? – perguntou.
– Ah, não as temos.
– O quê, na Islândia?
– Elas não existem nem na Islândia nem em outra parte.
– Por quê?
– Porque Arne Saknussemm foi perseguido por heresia, e suas obras foram queimadas em Copenhague por um carrasco.
– Que maravilha! Perfeito! – gritou meu tio, para grande escândalo do professor de ciências naturais.
– Como? – murmurou o último.
– Claro! Está tudo explicado, tudo se encaixa! Agora entendo por que Saknussemm, colocado no Index e obrigado a esconder as descobertas de seu gênio, escondeu o segredo naquele criptograma incompreensível...
– Que segredo? – perguntou o Sr. Fridriksson com ansiedade.
– Um segredo que... do qual... – respondeu meu tio hesitante.
– O senhor teria algum documento em especial? – indagou nosso anfitrião.
– Não, foi uma mera suposição.
– Bem – respondeu o Sr. Fridriksson, que foi gentil a ponto de não insistir ao perceber a perturbação de seu interlocutor.
– Espero – acrescentou – que o senhor não deixe nossa ilha antes de esgotar suas riquezas mineralógicas...
– É claro que não – respondeu meu tio. – Mas acho que estou chegando tarde demais. Já passaram cientistas por aqui?
– Sim, Sr. Lidenbrock. Os trabalhos de Olafsen e Povelsen, executados por ordem do rei, os estudos de Troil, a missão científica de Gaimard e Robert, a bordo da corveta francesa La Recherche, e, nos últimos tempos, as observações dos cientistas da fragata La Recne Hortense (A rainha Hortênsia) contribuíram muito para o reconhecimento da Islândia. Mas tenho certeza de que ainda há muito por fazer.
– O senhor acha? – perguntou meu tio com um ar ingênuo, tentando atenuar o brilho de seus olhos.
– Sim, quantas montanhas, geleiras e vulcões pouco conhecidos ainda há para estudar! Por exemplo, veja aquele monte que se ergue no horizonte. É o Sneffels.
– Ah! – surpreendeu-se meu tio. – O Sneffels.

– Sim, é um dos vulcões mais curiosos, cuja cratera é raramente visitada.
– Extinto?
– Ah, extinto há quinhentos anos.
– Muito bem – respondeu meu tio, que cruzava as pernas freneticamente para não pular –, tenho vontade de começar meus estudos por esse Seffel... Fessel... como se chama?
– Sneffels – esclareceu o excelente Sr. Fridriksson.

Essa parte da conversa ocorreu em latim. Compreendi tudo e mal conseguia me manter sério ao ver meu tio conter sua satisfação, que transbordava por todos os lados. Ele tentava assumir um ar de inocência que parecia uma careta de diabo velho.

– Sim – continuou –, depois do que o senhor falou, tomei uma decisão! Vamos tentar escalar o Sneffels, talvez até estudar sua cratera!
– Lamento – respondeu o Sr. Fridriksson – que minhas ocupações me impeçam de ausentar-me; teria o maior prazer em acompanhá-los.
– Oh, não, não – respondeu meu tio rapidamente. – Não queremos incomodar ninguém, Sr. Fridriksson. Agradeço-lhe de coração. A presença de um sábio como o senhor seria muito útil, mas os deveres de sua profissão...

Prefiro pensar que, na sua inocência de alma islandesa, nosso anfitrião não captou a malícia de meu tio.

– Recomendo-lhe vivamente que comece por esse vulcão, Sr. Lidenbrock – disse. Conseguirá colher um grande número de observações interessantes. Mas, diga-me, como espera alcançar a península de Sneffels?
– Por mar, atravessando a baía. É o caminho mais rápido.
– Com certeza, mas impossível.
– Por quê?
– Porque não dispomos de um único bote em Reykjavik.
– Que difícil!
– Será necessário seguir por terra, beirando o litoral. O trajeto é mais comprido, mas mais interessante.
– Está certo, procurarei um guia.
– Justamente tenho alguém para lhe oferecer.
– Um homem de confiança, inteligente?
– Um habitante da península. É um caçador de êider muito hábil, perfeito para vocês. Fala correntemente o dinamarquês.
– E quando posso vê-lo?
– Amanhã, se quiser.
– Por que não hoje?
– Ele só chega amanhã.
– Combinado, amanhã – respondeu meu tio com um suspiro.

Aquela conversa importante terminou alguns minutos depois com agradecimentos calorosos do professor alemão ao professor islandês.

Meu tio soube de coisas importantes naquele jantar, como a história de Saknussemm, o motivo de seu documento misterioso, que seu anfitrião não o acompanharia em sua expedição, e que, a partir do dia seguinte, teria um guia à sua disposição.

Capítulo 11

Dei um passeio rápido pelas costas de Reykjavik à noite e voltei cedo para me deitar em minha cama de tábuas grandes, onde adormeci num sono profundo.

Quando acordei, ouvi meu tio falando muito na sala ao lado. Levantei-me imediatamente e apressei-me em ir ao seu encontro. Falava em dinamarquês com um homem alto e vigorosamente esbelto.

O homem grandão devia ter uma força incomum. Seus olhos pareceram-me inteligentes numa cabeça muito grande e um tanto ingênua. Eram de um azul sonhador. Seus longos cabelos, que passariam por ruivos na Inglaterra, caíam nos ombros atléticos.

O nativo tinha movimentos flexíveis, mas mexia pouco os braços, como um homem que ignorasse ou desdenhasse a linguagem dos gestos. Tudo nele revelava um temperamento dos mais calmos, não-indolente, mas tranquilo. Sentia-se que nada pedia a ninguém, que trabalhava para a sua comodidade e que, nesse mundo, sua filosofia não podia ser surpreendida ou perturbada.

Percebi as nuances daquele temperamento pela forma como o islandês ouvia a verborragia ardente de seu interlocutor. Estava de braços cruzados, imóvel, em meio às inúmeras gesticulações de meu tio; para negar sua cabeça virava da esquerda para a direita; para afirmar inclinava-se tão pouco que seus longos cabelos mal se mexiam. Uma economia de movimentos que beirava a avareza. Se eu visse aquele homem, nunca adivinharia sua profissão de caçador; nunca devia amedrontar a caça, mas então, como a pegava?

Tudo se esclareceu quando o Sr. Fridriksson me disse que o tranquilo personagem não passava de um "caçador de êider", pássaro cuja penugem constitui a grande riqueza da ilha. De fato, essa penugem chamava-se edredom, e não é preciso muito movimento para pegá-la.

Nos primeiros dias de verão, a fêmea do êider, espécie de pato bonito, vai construir seu ninho entre os rochedos dos fiordes, cuja costa é franjada. Construído o ninho, forra-o com plumas finas que arranca do ventre. Logo chega o caçador, ou melhor, o negociante, pega o ninho, e a fêmea faz tudo de novo. Isso continua até que sua penugem acabe.

Quando a fêmea está completamente depenada, cabe ao macho arrancar as suas penas. Como sua penugem é dura e grosseira o caçador não se dá ao trabalho de roubar o leito da ninhada; o pássaro consegue assim concluir seu ninho. A fêmea põe os ovos, os passarinhos nascem, e, no ano seguinte, recomeça a coleta das plumas para edredom.

Ora, como o êider não escolhe para seu ninho as rochas escarpadas e, sim, as rochas fáceis e horizontais que vão se perder no mar, o caçador islandês conseguia exercer sua profissão sem grande agitação.

Não passava de um fazendeiro que não era obrigado a semear nem a ceifar, apenas a colher.

O personagem grave, fleumático e silencioso chamava-se Hans Bjelke. Ele havia sido recomendado pelo Sr. Fridriksson. Era nosso futuro guia. Suas maneiras contrastavam singularmente com as de meu tio.

Entenderam-se, entretanto, com facilidade. Nenhum dos dois se importava com o preço: o primeiro, pronto a aceitar o que lhe fosse oferecido, e o segundo, pronto a dar o que lhe pedissem.

Nunca uma barganha foi tão fácil. O resultado do acordo foi que Hans se comprometeu a conduzir-nos à cidadezinha de Stapi, situada na costa meridional da península do Sneffels, justamente ao pé do vulcão. Eram cerca de trinta e cinco quilômetros por terra, uma viagem de dois dias de acordo com meu tio. Mas, quando soube que eram milhas dinamarquesas, de mais de sete quilômetros, teve de refazer seus cálculos e considerar as más condições dos caminhos. Seriam sete ou oito dias de marcha.

Teríamos quatro cavalos à nossa disposição, dois para nós, eu e ele, e dois para nossas bagagens. Segundo seus hábitos, Hans iria a pé. Conhecia perfeitamente aquela parte da costa e prometeu pegar o caminho mais curto. Seu compromisso com meu tio não acabaria em Stapi. Ele ficaria à sua disposição o tempo necessário às excursões científicas por três risdales, o equivalente a mais ou menos vinte xelins, por semana. No entanto, foi combinado expressamente que o guia seria pago todo sábado à noite, condição *sine qua non* do contrato. Acertaram a partir do dia 16 de junho. Meu tio quis lhe pagar um sinal, mas o caçador recusou com uma palavra:

– *Efier* – disse.

– Depois – traduziu-me o professor, para me esclarecer.

Concluído o contrato, Hans retirou-se.

– Homem interessante, que nem desconfia do papel maravilhoso que o destino reservou para ele – exclamou meu tio.

– Então vai nos acompanhar...

– Sim, Axel, até o centro da Terra.

Faltavam ainda quarenta e oito horas. Para meu grande pesar, tivemos de empregá-las em preparativos. Toda a nossa inteligência foi concentrada para dispor cada objeto da melhor forma possível, os instrumentos de um lado, as armas do outro, as ferramentas num pacote, os víveres no outro, no total quatro grupos.

Levávamos os seguintes instrumentos:

1. Um termômetro centígrado de Eigel, graduado até cento e cinquenta graus, o que me parecia demais ou insuficiente. Demais, se o calor ambiente chegasse a esse ponto, o que nos cozinharia. Insuficiente, se fosse o caso de medir a temperatura das nascentes ou de qualquer outro material em fusão.

2. Um manômetro de ar comprimido para indicar pressões superiores às da atmosfera no nível do oceano. Realmente, um barômetro comum não bastaria. Afinal, a pressão atmosférica deveria aumentar proporcionalmente à medida que descêssemos abaixo do nível da terra.
3. Um cronômetro de Boissonnas simples de Genebra, perfeitamente acertado conforme o meridiano de Hamburgo.
4. Duas bússolas de inclinação e declinação.
5. Uma luneta de noite.
6. Dois aparelhos de Ruhmkorff, que, por meio de uma corrente elétrica, fornecia uma luz muito portátil, segura e fácil de recarregar.

As armas consistiam em duas carabinas Purdley Mor e Co. e em dois revólveres Colt. Para que armas? Não tínhamos que temer deparar-nos com selvagens ou animais ferozes, suponho.

Mas meu tio parecia fazer questão de seu arsenal, assim como de uma considerável quantidade de algodão-pólvora inalterável com a umidade e cuja força de expansão é muito superior à da pólvora comum.

As ferramentas eram duas pás, duas picaretas, uma escada de corda, três bastões de ferro, machado, um martelo, uma dúzia de calços e pregos de ferro e longas cordas de nós, o que não deixava de formar um enorme pacote, pois a escada media noventa metros de comprimento. Finalmente, as provisões: o pacote não era grande mas suficiente, pois eu sabia que continha víveres para seis meses entre carne salgada e biscoitos secos.

Não levávamos água: o líquido era gim apenas. Levávamos, entretanto, cantis, e meu tio contava com fontes para enchê-los.

Qualquer objeção que eu fizesse à sua qualidade, temperatura ou ausência, não seria levada em conta.

Para completar a relação exata de nossos artigos de viagem, citarei uma farmácia portátil com tesouras de lâminas cegas, talas para fraturas, uma peça de fita em fio cru, faixas e compressas, esparadrapo, uma espátula para sangria, todas coisas aterrorizantes. Além disso, uma série de frascos com dextrina, álcool vulnerário, acetato de chumbo líquido, éter, vinagre e amoníaco, todas drogas de emprego pouco tranquilizador, e, finalmente, o equipamento necessário para os aparelhos de Ruhmkorff.

Meu tio também providenciou sua provisão de tabaco, de pólvora de caça e de iscas, além de um cinto de couro que usava na cintura, onde havia em quantidade suficiente moedas de ouro e prata e papel. No grupo dos instrumentos, colocou também seis bons pares de sapatos impermeabilizados por uma demão de alcatrão e borracha elástica.

– Vestidos, calçados e equipados dessa forma, não temos qualquer motivo para não ir longe – garantiu meu tio.

Passamos todo o dia 14 arrumando os diversos objetos. À noite jantamos na casa do barão Trampe, em companhia do prefeito de Reykjavik e do doutor Hyaltalin, o maior médico da região. O Sr. Fridriksson não havia sido convidado. Mais tarde soube que o governador e ele haviam tido uma desavença quanto a um problema de administração e não se falavam. Não pude, portanto, compreender nem uma só palavra do que se disse durante aquele jantar semioficial. Notei apenas que meu tio falou todo o tempo. Terminamos os preparativos no dia seguinte, 15 de junho.

Nosso anfitrião agradou enormemente ao professor oferecendo-lhe um mapa da Islândia, incomparavelmente mais perfeito do que o de Handerson, o mapa de Olaf Nicolas Olsen, reduzido em 1/480000 e publicado pela Sociedade Literária Islandesa a partir dos trabalhos geodésicos de Scheel Frisac e do levantamento topográfico de Bjorn Gumlaugsonn. Era um documento precioso para um mineralogista.

Passamos a última noite na intimidade do Sr. Fridriksson, pelo qual eu sentia uma viva simpatia. A conversa foi sucedida por um sono bastante agitado, ao menos de minha parte.

Às cinco da manhã, o relincho de quatro cavalos que pateavam sob minha janela acordou-me. Vesti-me depressa e desci para a rua. Hans acabava de carregar nossas bagagens sem se mexer, se é que posso dizer isso. Trabalhava, entretanto, com uma habilidade incomum. Meu tio mais fazia barulho do que ajudava, e o guia parecia pouco se importar com suas recomendações. Ficou tudo pronto às seis horas. O Sr. Fridriksson apertou-nos as mãos. Meu tio agradeceu-lhe enfaticamente em islandês pela hospitalidade. Eu tentei esboçar no meu melhor latim alguma saudação cordial. Depois montamos, e o Sr. Fridriksson endereçou-me, com seu último adeus, este verso de Virgílio, que parecia ter sido feito para nós, viajantes de rota incerta:

Et quacumque viam dederit fortuna sequamur.
(Que cada um siga o caminho que sua fortuna lhe fornece.)

Capítulo 12

Partimos com o tempo encoberto, mas estável. Não teríamos de nos preocupar nem com calores cansativos nem com chuvas desastrosas. Um tempo próprio para o turismo.

O prazer de galopar por um país desconhecido deixava-me de bom humor naquele início de aventura. Sentia toda a felicidade, todo o prazer e liberdade de um excursionista. Começava a gostar da viagem. E dizia para mim mesmo:

– Afinal, o que estou arriscando? Viajar por um país dos mais curiosos, escalar uma montanha bastante notável, na pior das hipóteses, descer ao fundo de uma cratera extinta! É evidente que Saknussemm só fez isso. Quanto à existência de uma galeria que acaba no centro do globo, pura imaginação!

– Pura impossibilidade! Vou tratar, então, de aproveitar o que a expedição tem de bom sem maiores problemas.

Quando concluí esse raciocínio, já havíamos saído de Reykjavik. Hans caminhava à frente com passos rápidos, iguais e constantes. Os dois cavalos carregados com nossas bagagens seguiam o guia sem que fosse necessário conduzi-los. Eu e meu tio íamos atrás montados em nossos animais pequenos, mas vigorosos.

A Islândia é uma das maiores ilhas da Europa. Estende-se por mais de dois mil e duzentos quilômetros e só conta com sessenta mil habitantes. Os geógrafos a dividiram em quatro quartos, e tínhamos de atravessar quase obliquamente o que tem o nome de região de quarto do Sudvester Fjordhur.

Ao deixarmos Reykjavik, Hans seguiu imediatamente para a beira do mar. Atravessamos magras pastagens, mais amarelas do que verdes. Os cimos rugosos das montanhas apareciam no horizonte entre as brumas do leste. E por momentos, algumas placas de neve concentravam a luz difusa e resplandeciam nas inclinações dos cumes afastados. Alguns picos, mais ousados, perfuravam as nuvens cinzentas e reapareciam acima dos vapores moventes como escolhos que emergiam em pleno céu.

Muitas vezes essas cadeias de rochas áridas lançavam uma de suas pontas ao mar e cortavam as pastagens, mas sempre havia lugar suficiente para passar. Além disso, nossos cavalos escolhiam instintivamente os lugares propícios sem nunca diminuir a marcha. Meu tio nem tinha o consolo de excitar sua montaria com a voz ou com o chicote, não lhe era permitido ser impaciente. Não podia evitar sorrir ao vê-lo tão alto em seu cavalinho, e, como suas pernas compridas roçavam o chão, parecia um centauro de seis pés.

– Que ótimo animal, que ótimo animal! – dizia. – Você vai ver, Axel, nenhum animal é mais inteligente que o cavalo islandês. Nada o detém, nem neves, nem tempestades, nem caminhos impraticáveis, nem rochedos, nem geleiras, nada. É corajoso, comedido, seguro. Nunca dá um passo em falso, nunca tem reações inesperadas. Diante de qualquer rio, qualquer fiorde, lança-se sem hesitar na água como um anfíbio e alcança a margem oposta! Não devemos apressá-lo, deixemos o animal agir, e, estimulando-nos uns aos outros, faremos cinquenta quilômetros por dia.

– Nós com certeza – respondi –, mas e o guia?

– Ele não me preocupa. Essa gente caminha sem perceber.

– Esse daí mexe-se tão pouco que não deve se cansar. Além disso, se houver necessidade, poderei ceder-lhe minha montaria. Logo terei câimbras se não me movimentar. Os braços vão bem, mas tenho de pensar nas pernas.

Avançávamos num passo rápido. A região já era quase deserta. Aqui e ali, alguma habitação solitária de madeira, barro e pedaços de lava, parecendo um mendigo à beira de uma trilha vazia.

Aquelas cabanas danificadas pareciam implorar a caridade dos viajantes, e mais um pouco pensaríamos em oferecer-lhes esmola.

Naquela região não havia estradas nem mesmo trilhas, e a vegetação, apesar de lenta, logo apagava o rastro dos raros viajantes.

Entretanto, aquela parte interior, bem próxima da capital, é uma das porções habitadas e cultivadas da Islândia. Como seriam as áreas mais desertas que aquele deserto? Já havíamos percorrido oitocentos metros e ainda não havíamos encontrado nem um lavrador à porta de sua choupana, nem um pastor selvagem tomando conta de um rebanho menos selvagem que ele. Encontramos apenas algumas vacas e carneiros abandonados à sua própria sorte. Como seriam então as regiões convulsas, abaladas pelos fenômenos eruptivos, nascidas das explosões vulcânicas e das comoções subterrâneas?

Deveríamos conhecê-las depois. Ao consultar, porém, o mapa de Olsen, percebi que as evitávamos costeando as bordas sinuosas do litoral. De fato, o grande movimento plutônico concentrou-se sobretudo no interior da ilha. Ali as camadas horizontais de rochas sobrepostas, chamadas *trapps* em língua escandinava, as faixas traquíticas, as erupções de basalto, os tufos, todos os conglomerados vulcânicos, as correntes de lava e pórfiro em fusão construíram uma região de horror sobrenatural. Já desconfiava do espetáculo que nos aguardava na península do Sneffels, onde os desgastes de uma natureza fogosa formam um caos formidável.

Duas horas depois de termos deixado Reykjavik, chegamos ao burgo de Gufunes, chamado Aoalkirkja, ou igreja principal.

Nada tinha de tão interessante. Apenas algumas casas, que formariam uma aldeola na Alemanha. Hans parou ali por uma meia hora, compartilhou nosso almoço frugal, respondeu por sim e não às questões de meu tio sobre a natureza da estrada. E, ao perguntarmos onde contava passar a noite, disse somente: Gardcir. Consultei o mapa para saber o que era Gardcir. Vi um vilarejo com esse nome às margens do Hvalfjörd, a seis quilômetros e meio de Reykjavik. Mostrei-o a meu tio.

– Só seis quilômetros e meio em vez de trinta e cinco. Que belo passeio! – disse.

Ele quis fazer uma observação ao guia, que, sem responder-lhe, passou à frente dos cavalos e recomeçou a andar.

Três horas depois, sempre calcando a relva descolorida, foi necessário contornar o Kollafjörd, desvio mais fácil e mais curto do que a travessia desse golfo. Logo entramos num pingstaoer, sítio de jurisdição comunal chamado Ejulberg, e cujo campanário soaria meio-dia se as igrejas islandesas tivessem dinheiro suficiente para possuir um relógio. Mas elas se parecem muito com seus paroquianos, que não têm relógios e se dão muito bem sem eles.

Ali os cavalos descansaram. Depois, um caminho entre uma cadeia de colinas e o mar conduziu-nos de uma só vez à Aoalkirkja de Brantör e, um quilômetro e meio depois, a Saurböer Annexia, igreja anexa situada na margem meridional do Hvalfjörd. Eram quatro da tarde e havíamos percorrido seis quilômetros e meio.

Naquele local, o fiorde tinha pelo menos oitocentos metros de comprimento, as ondas batiam ruidosamente contra rochas agudas. O golfo abria-se entre muralhas de rochedos, espécie de escarpa pontiaguda de mais de novecentos metros e esplêndido por suas camadas marrons que separavam leitos de tufos avermelhados. Por mais que acreditasse na inteligência de nossos cavalos, não conseguia imaginar a travessia de um braço de mar montado num quadrúpede.

– Se são mesmo inteligentes – eu disse –, não tentarão atravessar. Em todo caso, vou tratar de ser inteligente por eles.

Mas meu tio não queria esperar. Correu à rédea solta para a margem. Sua montaria farejou a última ondulação das vagas e parou. Meu tio, que tinha instintos peculiares, voltou a esporeá-lo.

Outra recusa do animal, que sacudiu a cabeça. Palavrões e chicotadas, mas coices do animal, que começaram a desacorçoar o cavaleiro. Finalmente, inclinando-se, o cavalinho libertou-se das pernas do professor e deixou-o plantado sobre duas pedras da margem, como o Colosso de Rodes.

– Ah, maldito animal! – exclamou o cavaleiro, subitamente transformado em pedestre, e envergonhado como um oficial de cavalaria rebaixado a soldado de infantaria.

Sua montaria foi farejar a última ondulação das ondas.

– *Färja!* – murmurou o guia, tocando em seu ombro.
– Como? Uma balsa?
– *Der* – respondeu Hans, apontando para um barco.
– Sim – exclamei –, uma balsa.
– Por que não me disse antes? Vamos!
– *Tidvatten* – continuou o guia.
– O que ele disse?
– Disse "maré" – respondeu meu tio, traduzindo o termo dinamarquês.
– Com certeza temos de esperar a maré...
– *Förbida?* – perguntou meu tio.
– *Já!* – respondeu Hans.

Meu tio bateu o pé, enquanto os cavalos se dirigiam para a balsa. Compreendi perfeitamente a necessidade de esperar a maré por um certo tempo para atravessar o fiorde, quando o mar, chegando à sua altura máxima, estaciona. Então o fluxo e o refluxo deixam de ser sensíveis, e a balsa não se arrisca a ser arrastada para o fundo do golfo ou para o oceano.

O momento oportuno só chegou às seis da tarde. Meu tio, eu, o guia, os quatro cavalos e mais duas pessoas nos acomodamos numa espécie de barcaça chata bastante frágil. Habituado como estava aos barcos a vapor do Elba, achei os remos dos barqueiros um precário engenho mecânico. Levamos mais de uma hora para atravessar o fiorde, mas, finalmente, não houve qualquer incidente durante a travessia. Meia hora depois chegamos à Aoalkirkja de Gardör.

Capítulo 13

Deveria estar escuro, mas no sexagésimo quinto paralelo a claridade noturna das regiões polares não tinha por que me surpreender. Durante os meses de junho e julho, o sol não se põe na Islândia.

Assim mesmo, a temperatura havia baixado. Eu estava com frio e, principalmente, com fome. Nos receberam bem na casa de um camponês, que em matéria de hospitalidade, equivalia à de um rei. Quando chegamos, o dono estendeu-nos as mãos e, sem maiores cerimônias, fez um sinal para que o acompanhássemos.

Seguimos em fila indiana, pois seria impossível acompanhá-lo de outra forma. Uma passagem longa, estreita e escura dava acesso àquela moradia construída com vigas mal esquadriadas e permitia alcançar cada um dos aposentos, que eram quatro: cozinha, ateliê de tecelagem, quarto de dormir da família e quarto de hóspedes, o melhor de todos. Meu tio, em cujo tamanho não pensaram quando construíram a casa, bateu a cabeça no teto umas três ou quatro vezes.

Apresentaram-nos nosso quarto, uma espécie de grande sala com chão de terra batida e iluminada por uma janela cujos vidros eram feitos de membranas de carneiro bastante transparentes. Os colchões eram de forragem seca jogada em dois catres de madeira pintados de vermelho e enfeitados com provérbios islandeses.

Não esperava tanto conforto. Havia, porém, na casa um forte odor de peixe seco, carne macerada e leite azedo, que em nada agradou meu olfato.

Assim que assentamos nossa aparelhagem de viajantes, a voz do anfitrião convidou-nos a passar para a cozinha, único cômodo aquecido da casa, mesmo no inverno.

Meu tio apressou-se em obedecer à amigável ordem. Eu o segui. O fogão da cozinha era de um modelo antigo. No meio do cômodo, uma pedra como lareira; no teto, um buraco pelo qual saía a fumaça. A cozinha também servia de sala de jantar.

Quando entramos, como se ainda não nos tivesse recebido, nosso anfitrião saudou-nos com o termo *saellvertu*, que significa "sejam felizes" e deu-nos um beijo no rosto.

Sua mulher pronunciou as mesmas palavras acompanhadas do mesmo cerimonial. Depois, colocando a mão direita no coração, o casal inclinou-se numa reverência.

Apresso-me em dizer que a islandesa era mãe de dezenove crianças, todos, pequenos e grandes, mexendo-se na maior confusão entre as espirais de fumaça que a lareira projetava no cômodo. A todo momento, eu via uma cabecinha loura e um pouco melancólica saindo daquelas brumas. Pareciam uma guirlanda de anjos sujos.

Meu tio e eu acolhemos muito bem aquela "ninhada". Logo, três ou quatro tinham subido em nossos ombros, outros em nossos joelhos e o resto em nossas pernas. Os que falavam repetiam saellvertu em todos os tons imagináveis. Nem por isso os que não falavam deixavam de gritar.

O concerto foi interrompido pelo anúncio da refeição. Naquele momento, entrou o caçador que havia acabado de providenciar a alimentação para os cavalos, ou seja, economicamente, havia soltado todos no campo. Os pobres animais deveriam se contentar em pastar o musgo raro dos rochedos, alguns sargaços pouco nutritivos e, no dia seguinte, não deixariam de voltar por conta própria para retomar o trabalho da véspera.

– *Saellvertu!* – Cumprimentou Hans.

Depois, com tranquilidade e automaticamente, sem acentuar mais um beijo do que o outro, beijou o anfitrião, a anfitriã e seus dezenove filhos. Terminada a cerimônia, ao todo éramos vinte e quatro sentados à mesa, ou seja, uns em cima dos outros, no sentido literal do termo. Os mais favorecidos só contavam com duas crianças no colo.

No entanto, o silêncio caiu sobre esse microcosmo com a chegada da sopa, e a taciturnidade habitual até das crianças islandesas voltou a prevalecer. O anfitrião serviu a todos nós uma sopa de líquen de sabor nada desagradável, depois uma enorme porção de peixe seco nadando em manteiga azeda há vinte anos e, consequentemente, preferível à manteiga fresca, de acordo com as ideias gastronômicas islandesas. Também havia *skyr*, espécie de leite coalhado, acompanhado de biscoitos e temperado com suco de baga de genebra. Finalmente, como bebida, soro de leite com água, que se chama blanda na região. Não sei dizer se aquela comida era boa ou ruim. Estava com fome e, a sobremesa, engoli até a última porção de um cozido de trigo-mourisco.

Terminado o jantar, as crianças desapareceram. Os adultos ficaram ao redor da lareira, onde queimava turfa, urze, estrume de vaca e ossos de peixe seco. Depois daquele "aquecimento", cada grupo recolheu-se a seu respectivo cômodo. A dona da casa ofereceu-se, segundo costumes, para tirar nossas calças e nossas meias. Mas não insistiu diante da nossa recusa, das mais graciosas, e pude, finalmente, aconchegar-me em minha cama de forragem.

No dia seguinte, às cinco horas, despedimos do camponês islandês. Meu tio teve muita dificuldade em fazer com que aceitasse uma remuneração decente, e Hans deu o sinal da partida.

A cem passos de Gardör, o terreno começou a mudar de aspecto. O solo tornou-se pantanoso e menos favorável para a caminhada. À direita, a série de montanhas prolongava-se indefinidamente como um imenso sistema de fortificações naturais, cuja contra escarpa acompanhávamos. Com frequência éramos obrigados a atravessar vaus, e sem molhar demais a bagagem.

A região tornava-se cada vez mais desértica. Por vezes, no entanto, uma sombra humana parecia fugir ao longe. Se algum desvio de nosso rumo nos aproximava inesperadamente de um desses espectros, sentia um certo nojo ao ver a cabeça inchada, sem cabelos, a pele reluzente e as feridas repelentes que apareciam sob os trapos miseráveis. A infeliz criatura não estendia sua mão deformada. Ao contrário, fugia, mas não rápido o suficiente para escapar ao *saellvertu* costumeiro de Hans.

– *Spetelsk* – dizia.
– Um leproso! – repetia meu tio.

E só aquela palavra já provocava repulsa. A horrível afecção da lepra é bastante comum na Islândia, não é contagiosa, mas hereditária; e esses miseráveis são proibidos de casar-se.

Aquelas aparições tornavam a paisagem profundamente triste, os últimos tufos de relva vinham morrer a nossos pés. Nem uma árvore, a não ser alguns feixes de bétulas anãs parecidas com urzes. Nenhum animal, a não ser alguns cavalos daqueles que seu dono não conseguia alimentar e que erravam pelas planícies mornas. De vez em quando, um falcão planava nas nuvens cinzentas e escapava voando rápido para as regiões do sul. A melancolia daquela natureza selvagem impregnava-me, e minhas lembranças levavam-me de volta à minha terra natal.

Logo foi preciso atravessar vários pequenos fiordes de menor extensão e, finalmente, um verdadeiro golfo. Uma vez a maré paralisada, pudemos atravessar o golfo e alcançar a aldeola de Alftanes, situada um quilômetro e meio adiante.

À noite, após termos atravessado o vau de dois rios repletos de trutas e lúcios, o Alfa e o Heta, fomos forçados a abrigar-nos num casebre abandonado, digno de ser assombrado por todos os duendes escandinavos. Certamente, o espírito do frio elegera o pardieiro como abrigo durante toda a noite.

O dia seguinte passou sem contratempo. Sempre o mesmo solo pantanoso, a mesma uniformidade, a mesma fisionomia triste. À noite já havíamos completado a metade de nosso percurso e dormimos num albergue em Krösolbt.

No dia 19 de junho, um terreno de lava estendeu-se sob nossos pés por pouco mais de um quilômetro e meio. Essa disposição do solo é chamada *hraun* na região. A forma da lava enrugada na superfície era de cabos ora alongados, ora enrolados sobre si mesmos. Uma imensa corrente descia das montanhas próximas, vulcões hoje extintos, mas cujos vestígios atestavam a violência passada. Ainda assim, algumas fumaças de fontes quentes rastejavam aqui e ali.

Não tínhamos tempo para observar esses fenômenos, pois precisávamos prosseguir viagem. Logo o solo pantanoso reapareceu a nossos pés, recortado por laguinhos. Enquanto, rumávamos para oeste, demos a volta na grande baía de Faxa, e o duplo cume branco do Sneffels erguia-se nas nuvens a menos de oito quilômetros.

Os cavalos andavam bem, as dificuldades do solo não os detinham. Quanto a mim, começava a ficar muito cansado. Meu tio continuava firme e ereto como no primeiro dia. Não podia deixar de admirá-lo, nem a ele, nem ao caçador que considerava a expedição um simples passeio.

No sábado, dia 20 de junho, chegávamos a Budir, pequena aldeia situada à beira do mar, e o guia reclamou o pagamento combinado.

Meu tio acertou as contas com ele. Foi a própria família de Hans, ou seja, seus primos-irmãos e tios, quem nos ofereceu hospitalidade. Fomos muito bem recebidos, e, sem abusar da boa vontade dessa gente simpática, bem que gostaria de me recuperar por mais tempo na casa deles do cansaço da viagem. Mas meu tio, que não tinha do que se recuperar, nem pensou no assunto. No dia seguinte, foi preciso montar novamente em nossos animais.

O solo ressentia-se da vizinhança da montanha, cujas raízes de granito saíam da terra, como as de um antigo carvalho. Contornamos a imensa base do vulcão. O professor não o perdia de vista, gesticulava, parecia desafiá-lo e dizer: "Eis o gigante que domarei!" Finalmente, após quatro horas de percurso, os cavalos pararam instintivamente à porta do presbitério de Stapi.

Capítulo 14

Stapi é uma aldeia de cerca de trinta cabanas, construída em plena lava sob os raios de sol refletidos pelo vulcão. Estende-se no fundo de um pequeno fiorde encaixado numa muralha basáltica bastante estranha.

Sabemos que o basalto é uma rocha marrom de origem ígnea. Suas formas regulares surpreendem por sua disposição. Aqui a natureza procede de forma geométrica e trabalha à maneira dos homens, como se manejasse o esquadro, o compasso e o fio de prumo. Em todos os outros lugares, seus trabalhos artísticos consistem em grandes massas jogadas desordenadamente, em cones mal esboçados, em pirâmides imperfeitas, em uma estranha sucessão de linhas. Aqui, querendo dar o exemplo de regularidade e precedendo os arquitetos das primeiras eras, criou uma ordem rígida, jamais superada pelos esplendores da Babilônia, nem pelas maravilhas da Grécia antiga.

Já havia ouvido falar da Calçada dos Gigantes na Irlanda e da gruta de Fingal numa das Hébridas, mas nunca tinha visto o espetáculo de uma formação basáltica. Em Stapi, esse fenômeno exibia-se em toda a sua magnificência. A muralha do fiorde, assim como toda a costa da península, era composta de uma série de colunas verticais de quase dez metros de altura. Esses fustes retos da mais pura proporção sustentavam um arco feito de colunas horizontais, cujo desaprumo formava uma semiabóbada acima do mar. A intervalos regulares, sob essa cisterna natural, o olhar surpreendia aberturas ogivais de um desenho admirável, através das quais as ondas do mar se precipitavam, espumantes. Alguns pedaços de basalto, arrancados pela fúria do oceano, estendiam-se pelo chão como ruínas de um templo antigo, ruínas eternamente viçosas sobre as quais os séculos passavam sem desgastá-las.

Era a última etapa de nossa viagem terrestre, para onde Hans nos havia conduzido com inteligência, e eu me sentia tranquilo com o fato de que ele continuaria nos acompanhando.

Ao chegarmos à porta da casa do pároco, cabana simples e baixa, nem mais bela nem mais confortável que as vizinhas, vi um homem ferrando um cavalo, martelo na mão e avental de couro amarrado à cintura.

– *Screllvertu* – disse-lhe o caçador.

– *God dag* – respondeu-lhe o ferrador num perfeito dinamarquês.

– *Kyrkoherde* – murmurou Hans, voltando-se para meu tio.

– O pároco! – repetiu o professor. – Axel, parece que esse bom homem é o pároco. Enquanto isso, o guia colocava o kirkoherde a par da situação. O pároco parou de trabalhar e deu uma espécie de grito muito usado entre os criadores de cavalos e contratadores de gado. Imediatamente uma megera enorme saiu da cabana. Devia ter mais de um metro e oitenta de altura.

Temi que ela viesse oferecer o beijo islandês aos viajantes, mas nada disso aconteceu e nem se deu ao trabalho de ser mais gentil ao convidar-nos para entrar em sua casa.

O cômodo dos forasteiros pareceu-me o pior do presbitério, estreito, sujo e infecto, mas tivemos de contentar-nos com ele. O pároco, com certeza, não praticava a hospitalidade à antiga.

Longe disso. Antes do final do dia, constatei que estávamos tratando mais com um ferreiro, um pescador, um caçador e um carpinteiro do que com um ministro de Deus. É verdade que era um dia útil. Talvez melhorasse aos domingos.

Não quero falar mal desses pobres padres, que afinal de contas são bem miseráveis. Recebem um tratamento ridículo do governo islandês e seu salário consiste num quarto do dízimo de sua paróquia, o que nem chega a sessenta marcos. Daí a necessidade de trabalhar para viver; mas de tanto pescar, caçar e ferrar cavalos, acabam absorvendo as maneiras, o tom e os costumes dos caçadores, pescadores e outras pessoas um tanto rudes; naquela mesma noite, percebi que a sobriedade não era uma das virtudes de nosso anfitrião.

Meu tio logo compreendeu o gênero de homem com que estava lidando. Em vez de um cientista ousado e digno, encontrava um camponês difícil e grosseiro. Resolveu, portanto, iniciar quanto antes sua grande expedição, para abandonar aquele cura pouco hospitaleiro. Nem deu atenção a seu cansaço e resolveu ir passar alguns dias nas montanhas.

Começamos, portanto, a preparar a partida no dia seguinte à nossa chegada a Stapi. Hans contratou três islandeses para substituir os cavalos no transporte das bagagens; mas assim que chegássemos ao fundo da cratera, aqueles indígenas deveriam voltar atrás e abandonar-nos à nossa própria sorte, ponto claramente estabelecido.

Naquele momento, meu tio teve de contar ao caçador que sua intenção era explorar o vulcão até os últimos limites.

Hans contentou-se em inclinar a cabeça. Ir para lá ou para cá, embrenhar-se nas entranhas de sua ilha ou percorrê-la, não via qualquer diferença. Quanto a mim, até então distraído pelos incidentes da viagem, esqueci um pouco do futuro. Agora, porém, sentia a emoção voltar com toda a força. O que fazer?

Tinha de ter tentado resistir ao professor Lidenbrock em Hamburgo e não ao pé do Sneffels. Agora, tive nova ideia aterrorizante. E dizia para mim mesmo:

"Vamos escalar o Sneffels. Vamos explorar sua cratera. Outros já fizeram isso e não morreram. Mas tem mais. Se encontrarmos um caminho para descer às entranhas do solo, se esse infeliz do Saknussemm disse a verdade, vamos nos perder entre as galerias subterrâneas do vulcão. Ora, nada prova que o Sneffels esteja extinto!

Quem garante que não está preparando uma erupção? Está certo que o monstro está adormecido desde 1229, mas isso não significa que não possa acordar... E, se acordar, o que será de nós?"

Era o caso de se refletir sobre essa hipótese, e eu refletia. Não conseguia dormir sem sonhar com a erupção. E não estava gostando nada de fazer o papel de escória.

Finalmente, não consegui mais me conter. Resolvi submeter o problema a meu tio o mais astuciosamente possível, e sob a forma de uma hipótese absurda. Fui procurá-lo. Desabafei minhas preocupações e recuei para deixá-lo estourar à vontade.

— Estava pensando nisso — respondeu-me com simplicidade. O que significavam aquelas palavras? Será que ouviria a voz da razão? Estava pensando em voltar atrás? Era bom demais para ser verdade. Depois de alguns instantes de silêncio, durante os quais não ousei pronunciar nem uma palavra, recomeçou a falar:

— Estava pensando nisso. Desde que chegamos a Stapi, estou preocupado com esse grave problema, pois não devemos ser imprudentes.

— Não — respondi, convicto.

— O Sneffels não se manifesta há seiscentos anos, mas pode manifestar-se. Ora, as erupções são sempre precedidas de fenômenos muito conhecidos. Assim, fiz perguntas aos habitantes da região, estudei o solo e posso afirmar-lhe, Axel, não haverá erupção.

Fiquei estupefato com essa afirmação, à qual não pude replicar.

— Você duvida do que estou dizendo? Então, acompanhe-me — disse meu tio.

Obedeci prontamente. Saindo do presbitério, o professor tomou um caminho reto que, por uma abertura da muralha basáltica, afastava-se do mar. Logo estávamos em campo aberto, se é que se pode chamar assim aquele enorme amontoado de dejecções vulcânicas. A região parecia ter sido esmagada por uma chuva de pedras enormes, basalto, granito e todas as rochas piroxênicas.

Via vapores subindo aqui e ali. Aqueles vapores brancos, chamados *reykir* em islandês, vinham das fontes termais e, por sua violência, indicavam a atividade vulcânica do solo. Aquilo parecia justificar meus temores. Caí das nuvens quando meu tio me disse:

— Está vendo, Axel, esses vapores provam que não temos de temer a fúria do vulcão.

— Essa não! — gritei.

Via vapores vulcânicos subindo aqui e ali.

— Guarde bem isto — continuou o professor: — quando uma erupção está se aproximando, esses vapores tornam-se duas vezes mais ativos, para desaparecer completamente durante o fenômeno, pois, como não têm mais a tensão necessária, os fluidos elásticos escapam pelas crateras e não mais pelas fissuras do globo. Se esses vapores se mantiverem em seu estado normal, se sua energia não aumentar, e ainda, se o vento e a chuva não forem substituídos por um ar pesado e calmo, é possível afirmar que não haverá uma erupção a curto prazo.

– Mas...

– Chega! Quando a ciência fala, somos obrigados a ficar calados.

Voltei para a cúria de orelhas baixas. Meu tio vencera-me com argumentos científicos. Ainda assim, alimentava uma certa esperança. Talvez, quando chegássemos ao fundo da cratera, fosse impossível descer mais por falta de galerias, isso a despeito de todos os Saknussemm do mundo. Passei a noite seguinte em pleno pesadelo dentro de um vulcão e das profundezas da terra. Senti que era lançado para os espaços planetários sob a forma de rocha eruptiva.

No dia seguinte, 23 de junho, Hans nos aguardava com seus companheiros, carregados de víveres, ferramentas e instrumentos.

Dois bastões de ferro, dois fuzis, duas cartucheiras estavam reservadas para meu tio e para mim. Hans, que pensava em tudo, acrescentara à nossa bagagem um odre cheio, que, juntamente com nossos cantis, garantiam um abastecimento de água por oito dias.

Eram nove horas da manhã. O pároco e sua megera enorme aguardavam diante da casa. Com certeza queriam dar aos viajantes o adeus supremo do anfitrião. Mas o adeus assumiu a forma inesperada de uma conta fabulosa: cobraram até o ar da casa pastoral, bem infecto, aliás. O digno casal espoliava-nos como hoteleiros suíços, e o preço de sua hospitalidade era mais do que exagerado.

Meu tio pagou sem regatear. Um homem de partida para o centro da Terra não liga para dinheiro. Acertado esse ponto, Hans deu o sinal de partida, e pouco tempo depois deixamos Stapi.

Capítulo 15

O Sneffels tem mil e quinhentos metros de altura. Com seu cone duplo, acaba em uma faixa traquítica, um mineral escuro que se destaca do sistema orográfico da ilha. De nosso ponto de partida, não conseguíamos ver seus dois picos perfilar-se no fundo acinzentado do céu. Eu só via uma enorme calota de neve abaixada na fronte do gigante.

Caminhávamos em fila, precedidos pelo caçador, que subia por trilhas estreitas onde duas pessoas não podiam caminhar de frente. Era quase impossível conversar.

Além da muralha basáltica do fiorde de Stapi, apareceu em primeiro lugar um solo de turfa herbácea e fibrosa, resíduo da antiga vegetação dos pântanos da península. A quantidade desse combustível ainda inexplorado seria suficiente para aquecer toda a população da Islândia por um século. A vasta turfeira tinha, geralmente, vinte metros de altura se medida do fundo de certas ravinas, e apresentava camadas sucessivas de detritos carbonizados, separados por folhas de tufo poroso.

Como verdadeiro sobrinho do professor Lidenbrock, apesar de minhas preocupações, observava com interesse as curiosidades mineralógicas exibidas naquele vasto gabinete de história natural. Ao mesmo tempo, reconstruía em minha mente toda a história geológica da Islândia.

Com certeza, aquela ilha tão curiosa havia saído do fundo das águas numa época relativamente moderna. Talvez continue a crescer por um movimento insensível. Se o fato se confirmar, só é possível atribuir sua origem à ação de fogos subterrâneos. Nesse caso, portanto, a teoria de Humphry Davy, o documento de Saknussemm e as pretensões de meu tio irão por água abaixo. Essa hipótese levou-me a examinar com atenção a natureza do solo, e logo percebi a sucessão de fenômenos que presidiram à sua formação.

Sem qualquer terreno sedimentar, a Islândia compõe-se unicamente de tufo vulcânico, ou seja, de um aglomerado de pedras e rochas de textura porosa. Antes do surgimento dos vulcões, era composta por um maciço que se ergueu lentamente acima das ondas pelo impulso das forças centrais. O fogo interior ainda não irrompera.

Mas, mais tarde, escavou-se diagonalmente uma grande fenda, do sudoeste ao nordeste da ilha, pela qual se espalhou pouco a pouco toda a massa traquítica. O fenômeno aconteceu sem fúria. A saída era enorme, e as matérias fundidas repelidas das entranhas do globo estenderam-se tranquilamente em vastos lençóis ou massas onduladas. Nessa época apareceram os feldspatos, os sienitos e os pórfiros.

Graças, porém, a esse derramamento, a espessura da ilha aumentara consideravelmente, assim como sua força de resistência. Dá para imaginar a quantidade de fluidos elásticos que se armazenou em seu seio, quando deixou de oferecer qualquer saída após o esfriamento da crosta traquítica. Chegou, portanto, um momento em que a potência mecânica desses gases foi tão grande que eles ergueram a crosta pesada e escavaram altas chaminés. Daí o vulcão formado pelo erguimento da crosta e, depois, a cratera subitamente perfurada no topo do vulcão.

Então, os fenômenos eruptivos foram sucedidos por fenômenos vulcânicos. Pelas aberturas recém-formadas, escaparam, antes de mais nada, dejecções basálticas; seus maravilhosos espécimes recobriam a planície que atravessávamos naquele momento.

Caminhávamos sobre rochas pesadas de um cinza escuro, moldadas em prismas com bases hexagonais pelo resfriamento.

Ao longe via-se um grande número de cones achatados, outrora bocas por onde saía fogo. Em seguida, esgotada a erupção basáltica, o vulcão, a cuja força se reuniu a das crateras extintas, cedeu passagem às lavas e àqueles tufos de cinzas e escórias cujas longas correntes eu via semeadas pelos seus flancos como uma cabeleira opulenta.

Eis a sucessão de fenômenos que constituíram a Islândia, todos provenientes da ação do fogo interior, e supor que a massa interna não continuasse num estado permanente de incandescente liquidez era loucura. Era loucura, principalmente, pretender atingir o centro do globo. Tranquilizava-me, portanto, quanto ao desfecho de nossa aventura enquanto caminhávamos para tomar o Sneffels de assalto.

O percurso tornava-se cada vez mais difícil. O solo erguia-se, os estilhaços de pedra vibravam, o que exigia a máxima atenção para evitar quedas perigosas. Hans avançava tranquilamente, como se andasse por um terreno uniforme. Às vezes, desaparecia atrás dos grandes blocos e, momentaneamente, o perdíamos de vista. Basta um assobio agudo de seus lábios para sabermos que direção deveríamos tomar. Normalmente, também parava, pegava alguns pedaços de rochas e dispunha-as de forma adequada, formando assim balizas para indicar o caminho de volta. Era uma boa precaução, mas que depois vimos que não serviriam para nada.

Três horas de caminhada extenuante levaram-nos apenas à base da montanha. Ali, Hans fez sinal para pararmos e compartilhamos um almoço frugal. Meu tio engolia porções duplas para ser mais rápido. Só que, como essa parada para a refeição era também uma parada de descanso, teve de aguardar a boa vontade do guia, que só deu o sinal de partida uma hora depois. Os três islandeses, tão taciturnos quanto seu companheiro caçador, não abriram a boca e comeram com sobriedade.

Começamos a escalar as encostas do Sneffels. Por uma ilusão de ótica frequente nas montanhas, seu pico nevado parecia bem próximo, mas como iríamos demorar para atingi-lo! E, sobretudo, como seria cansativo! As pedras, soltas pela ausência de qualquer liame de terra ou de relva, resvalavam sob nossos pés e iam perder-se na planície com a rapidez de uma avalanche. Em alguns trechos, os flancos do monte formavam um ângulo de pelo menos trinta e seis graus com o horizonte. Era impossível escalá-los, e essas ladeiras pedregosas tinham de ser contornadas com muita cautela. Assim, ajudávamos uns aos outros com nossos bastões.

Não posso deixar de dizer que meu tio ficava o mais perto possível de mim; não me perdia de vista e várias vezes seus braços foram um sólido apoio para mim. Quanto a ele, tinha, sem dúvida, um sentimento inato de equilíbrio, pois jamais oscilava. Apesar de carregados, os islandeses subiam com agilidade de montanheses. Ao ver a altitude do cume do Sneffels, parecia-me impossível alcançá-lo por aquela encosta, se o ângulo de inclinação das vertentes não se fechasse.

Felizmente, após uma hora de cansaço e grandes esforços, apareceu inesperadamente, no meio do vasto tapete de neve desenvolvido na crosta do vulcão, uma espécie de escada que simplificou nossa ascensão. Era formada por uma daquelas torrentes de pedras lançadas pelas erupções, chamadas em islandês de *stinâ*. Se essa torrente não tivesse sido detida em sua queda pela disposição dos flancos da montanha, teria ido precipitar-se no mar e formar novas ilhas. Mas foi detida, e muito útil para nós.

O declive das encostas aumentava, mas aqueles degraus de pedra permitiam que subíssemos com facilidade e até com rapidez. Às sete da noite, tínhamos subido os dois mil degraus da escada e dominávamos um inchaço de montanha, espécie de base sobre a qual assentava o cone propriamente dito da cratera.

O mar estendia-se a uma profundidade de quase mil metros. Havíamos ultrapassado o limite das neves eternas, muito pouco elevadas na Islândia devido à umidade constante do clima.

Fazia um frio intenso. O vento soprava com força. Eu estava exausto. O professor constatou que minhas pernas não respondiam mais ao esforço de andar. Apesar de sua impaciência, resolveu parar. Fez um sinal para o caçador, que sacudiu a cabeça, dizendo:

– *Ofvanför*.
– Parece que devemos alcançar um ponto mais elevado – disse meu tio.
Depois perguntou a Hans a razão de sua resposta.
– *Mistour!* – respondeu o guia.
– Já, *mistour* – respondeu um dos islandeses, num tom bastante apavorado.
– O que quer dizer isso? – perguntei, aflito.
– Veja – mostrou-me meu tio.

Olhei para a planície. Uma imensa coluna de pedras-pomes pulverizada, areia e poeira erguia-se, girando como um tufão; o vento fazia com que se chocasse no flanco do Sneffels, no qual estávamos pendurados. Essa cortina opaca estendida diante do sol produzia uma grande sombra que se projetava na montanha. Se a tromba se inclinasse, iria inevitavelmente abraçar-nos em seus turbilhões. O fenômeno, muito frequente quando o vento sopra das geleiras, chama-se *mistour* em islandês.

– *Hastigt, hastigt* – gritava nosso guia.

Mesmo sem saber dinamarquês, compreendi que deveríamos seguir Hans com toda a rapidez. O guia começou a dar a volta no cone da cratera, mas obliquamente, para facilitar a caminhada.

Logo a tempestade abateu-se sobre a montanha, que tremeu com o choque. As pedras envolvidas pelo turbilhão de vento voaram em chuva, como numa erupção. Por sorte, estávamos na vertente oposta, protegidos do perigo. Sem os cuidados do guia, nossos corpos despedaçados, reduzidos a pó, teriam caído longe, como os restos de algum meteoro desconhecido.

Hans não achou prudente passarmos a noite nos flancos do cone. Continuamos nossa ascensão em ziguezague. Levamos quase cinco horas para transpor os quase quinhentos metros que faltavam para subir. Os desvios e as contramarchas mediam quase quinze quilômetros. Eu não aguentava mais, estava morrendo de fome e de frio. O ar, um tanto rarefeito, era insuficiente para meus pulmões.

Finalmente, às onze da noite, em plena escuridão, alcançamos o topo do Sneffels. E, antes de abrigar-me dentro da cratera, ainda consegui ver "o sol da meia-noite" em seu nível mais baixo, projetando seus raios pálidos na ilha adormecida a meus pés. Logo a tempestade abateu-se sobre a montanha.

Capítulo 16

O jantar foi rapidamente devorado, e a pequena tropa abrigou-se como pôde. A cama era dura, o abrigo pouco sólido e a situação bastante penosa a mil e quinhentos metros acima do nível do mar.

No entanto, meu sono foi particularmente tranquilo naquela noite, uma das melhores depois de muito tempo. Nem cheguei a sonhar. No dia seguinte, acordamos semicongelados por um vento bastante forte, sob os raios de um belo sol. Abandonei a cama de granito e fui apreciar o magnífico espetáculo que se desenrolava sob meus olhos.

Estava no topo de um dos dois picos do Sneffels, o meridional. Dali, conseguia ver a maior parte da ilha. A ótica comum a todas as grandes altitudes erguia as costas, enquanto as partes centrais pareciam enterradas. Parecia ter a meus pés um desses mapas em relevo de Helbesmer.

Via vales profundos cruzando-se em todos os sentidos, os precipícios fundos como poços, os lagos transformados em poças, os rios em riachos. À minha direita sucediam-se incontáveis geleiras e inúmeros picos, alguns soltando penachos de vapores suaves. As ondulações daquela infinidade de montanhas, que pareciam espumantes sob suas camadas de neve, lembravam-me a superfície de um mar agitado. Se me voltava para oeste, via o oceano desenrolando-se em sua extensão majestosa, como uma continuação dos picos cobertos de nuvens. Mal conseguia distinguir onde acabava a terra e onde começavam as ondas.

Mergulhei, assim, no êxtase prestigioso oferecido pelos cumes altos. Dessa vez senti vertigem, pois, finalmente, começava a acostumar-me com aquelas contemplações sublimes. Meu olhar fascinado banhava-se na irradiação transparente dos raios de sol.

Esquecia quem era, onde estava, para viver a vida dos elfos ou das sílfides, habitantes imaginários da mitologia escandinava. A voluptuosidade das alturas embriagava-me, e nem mais pensava nos abismos para onde, dentro em pouco, seria levado pelo meu destino. Fui trazido de volta à realidade com a chegada do professor e de Hans, que se reuniram a mim no cume do pico. Voltando-se para oeste, meu tio apontou-me um vapor vago, uma bruma, algo parecido com terra que dominava a linha das ondas.

– A Groenlândia – disse.

– A Groenlândia? – me surpreendi.

– Sim, estamos a apenas cento e setenta quilômetros da Groenlândia, e, durante os degelos, os ursos brancos chegam até a Islândia nos blocos de gelo do norte. Mas isso não é muito importante.

Estamos no cume do Sneffels, e eis dois picos, um ao sul, outro ao norte. Hans vai nos dizer como os islandeses chamam este em que estamos agora. Formulada a pergunta, o caçador respondeu:

– *Scartaris*.

Meu tio olhou para mim triunfante.

– À cratera – disse.

A cratera do Sneffels parecia um cone virado, cujo orifício devia ter meia légua de diâmetro. Estimei sua profundidade em mais de seiscentos metros. Deu para imaginar o estado de tal recipiente quando repleto de trovões e chamas. O fundo do funil não devia medir mais do que cento e cinquenta metros de diâmetro, de forma que suas vertentes bastante suaves permitiam que se chegasse com facilidade à sua parte inferior. Comparei-a involuntariamente a um enorme bacamarte aberto, e a comparação me apavorou.

"Descer num bacamarte, talvez carregado e que pode disparar de repente é coisa de loucos" – assim, eu pensava temeroso.

Mas não havia como voltar atrás. Com um ar indiferente, Hans voltou à frente da tropa. Segui-o sem dizer nada.

Para facilitar a descida, Hans descrevia elipses muito alongadas no interior do cone. Era preciso caminhar no meio de rochas eruptivas, entre as quais algumas, abaladas em seus alvéolos, precipitavam-se ricocheteando até o fundo do abismo. Sua queda determinava ecos de sonoridade estranha.

Algumas partes do cone formavam geleiras interiores. Hans só prosseguia com extremo cuidado, sondando o solo com seu bastão de ferro para descobrir fendas. Em certas passagens duvidosas, tornou-se necessário amarrar-nos uns aos outros com longas cordas para que aquele que tropeçasse inadvertidamente fosse sustentado pelos seus companheiros.

Essa solidariedade era prudente, mas não evitava todos os perigos. No entanto, e apesar das dificuldades da descida por vertentes desconhecidas pelo guia, não ocorreu qualquer acidente no percurso, a não ser a queda de um fardo de cordas que escapou das mãos de um islandês e foi, pelo caminho mais curto, até o fundo do abismo.

Chegamos ao meio-dia. Ergui a cabeça e vi o orifício superior do cone que enquadrava um pedaço de céu de uma circunferência singularmente reduzida, mas quase perfeita. O pico do Scartaris, mergulhado na imensidão, destacava-se num só ponto.

No fundo da cratera abriram-se três chaminés pelas quais, no tempo das erupções do Sneffels, o incêndio central soltava suas lavas e vapores. As chaminés tinham, cada uma, cerca de trinta metros de diâmetro. Escancaravam-se sob nossos pés. Não tive coragem de olhar para dentro delas.

Já o professor Lidenbrock examinara rapidamente sua disposição. Estava ofegante; corria de uma à outra, gesticulando e soltando palavras incompreensíveis. Hans e seus companheiros, sentados em pedaços de pedras, ficaram olhando para ele; com certeza, achavam que era louco. De repente meu tio deu um grito. Achei que acabara de pisar em falso e cair em um dos três abismos. Mas não. Vi-o, os braços estendidos, as pernas afastadas, de pé diante de uma rocha de granito disposta no centro da cratera como um enorme pedestal construído para uma estátua de

Plutão. Parecia um homem estupefato, mas logo o estupor cedeu lugar a uma alegria insensata.

– Axel! Axel! – gritou. – Venha, venha!

Corri para ele. Hans e os islandeses nem se mexeram.

– Olhe! – disse-me o professor.

– Veja! – disse-me o professor.

E, compartilhando seu estupor e até sua alegria, li, na face ocidental do bloco, em caracteres rúnicos meio apagados pelo tempo, o nome mil vezes maldito:

ᛅᚱᚾᛅ ᛋᛅᚴᚾᚢᛋᛋᛁᛘ

– Arne Saknussemm! – gritou meu tio. – Você ainda tem qualquer dúvida?

Não respondi e voltei consternado a meu banco de lava. A evidência arrasara-me. Não sei dizer quanto tempo passei ensimesmado. Tudo o que sei foi que, ao erguer a cabeça, vi meu tio e Hans sozinhos no fundo da cratera. Os islandeses haviam sido dispensados, e agora descem as vertentes exteriores do Sneffels para voltar a Stapi.

Hans dormia tranquilamente ao pé de uma rocha, numa corrente de lava que se transformou em leito improvisado. Meu tio dava voltas no fundo da cratera como um animal selvagem preso numa armadilha. Não tive vontade nem força para levantar-me, e, a exemplo do guia, deixei que um doloroso torpor tomasse conta de mim enquanto acreditava ouvir os barulhos e sentir os tremores nos flancos da montanha.

Assim se passou a primeira noite no fundo da cratera. No dia seguinte, um céu cinza, coberto de nuvens, pesado, caiu no topo do cone. Percebi o ocorrido mais pela ira de meu tio do que pela escuridão do abismo. Compreendi o motivo de tanta raiva, e voltei a alimentar uma certa esperança. Vou dizer por quê.

Dos três caminhos que tínhamos a nossos pés, apenas um fora seguido por Saknussemm.

Segundo o cientista islandês, deveríamos reconhecê-lo por uma particularidade assinalada no criptograma: a sombra do Scartaris acariciaria suas bordas nos últimos dias do mês de junho.

Podíamos, de fato, considerar o pico agudo como um ponteiro de um enorme relógio solar, cuja sombra, num dia determinado, marcaria o caminho para o centro do globo.

Ora, sem sol, nada de sombra. Consequentemente, nada de indicações. Era 25 de junho. Se o céu permanecesse encoberto por seis dias, teríamos de adiar a observação para o ano seguinte. Desisto de tentar descrever a raiva impotente do professor Lidenbrock.

O dia passou e nenhuma sombra veio esponjar-se no fundo da cratera. Hans não saiu do lugar; devia, entretanto, perguntar-se o que esperávamos, se é que jamais se perguntou algo! Meu tio não me dirigiu uma única palavra. Seus olhos, invariavelmente voltados para o céu, perdiam-se em seu matiz cinza e brumoso.

No dia 26, a mesma situação. Uma chuva misturada com neve caiu durante todo o dia. Hans construiu uma cabana com pedaços de lava. Observei com um certo prazer os milhares de cascatas improvisadas nos flancos do cone, cujo murmúrio ensurdecedor era aumentado por qualquer pedra.

Meu tio não conseguia mais se conter. O ocorrido irritaria o mais paciente dos homens, pois era realmente naufragar ao lado do porto. Mas o céu mistura incessantemente as grandes alegrias às grandes dores e reservara ao professor Lidenbrock uma satisfação igual ao seu tédio desesperador.

No dia seguinte, o céu continuava encoberto, mas no domingo, 28 de junho, antepenúltimo dia do mês, a mudança da lua foi acompanhada pela mudança do tempo. Os raios de sol cobriram o fundo da cratera. Cada montículo, cada rocha, cada pedra, cada aspereza do solo participou do eflúvio luminoso e projetou instantaneamente sua sombra no solo. Entre outras, a do Scartaris desenhou-se como uma aresta vívida e começou a girar insensivelmente com o astro radioso. Meu tio girava com ela. Ao meio-dia, seu período mais curto, banhou suavemente as bordas da chaminé central.

– É ali! É ali! – gritou o professor. – Para o centro do globo! – acrescentou em dinamarquês.

Olhei para Hans.

– *Foriöt* – murmurou o guia tranquilamente.

– Em frente! – respondeu meu tio. Era uma e treze da tarde.

Capítulo 17

Começava finalmente a viagem propriamente dita. Até então, o cansaço tinha prevalecido sobre as dificuldades. Agora, iríamos enfrentá-las realmente.

Ainda não havia olhado para aquele poço insondável onde iria me embrenhar. Chegara o momento. Ainda era possível aceitar a aventura ou recusar-me a tentá-la. Mas tive vergonha de recuar diante do caçador. Hans aceitava a aventura tão tranquilamente, com tal indiferença, com tamanha despreocupação diante de qualquer perigo que corei ante a ideia – de ser menos corajoso do que ele. Se estivesse sozinho, não hesitaria em começar uma série de discussões. Na presença do guia, me calei. Uma parte de minhas lembranças correu para a minha bela virlandesa, e aproximei-me da chaminé central.

Disse que media trinta metros de diâmetro. Inclinei-me sobre uma pedra que pendia e olhei. Fiquei com os cabelos em pé. O sentimento do vazio tomou conta de mim. Senti o centro de gravidade deslocando-se em mim. E a vertigem subindo

à cabeça como uma embriaguez. Nada mais perturbador do que a atração pelo abismo. Ia cair. Uma mão segurou-me. A de Hans. Decididamente, não havia assistido a aulas suficientes "de abismo" na Frelsers-Kirk de Copenhague.

No entanto, se tivesse pelo menos ousado dar uma olhada naquele poço, teria percebido sua conformação. Suas paredes, praticamente verticais, apresentavam muitas saliências que deveriam facilitar a descida. Mas embora não faltassem escadas, não havia rampa. Uma corda amarrada no orifício bastaria para nos sustentar, mas como desamarrá-la quando chegássemos à sua extremidade inferior?

Meu tio empregou um meio bem simples para vencer a dificuldade. Desenrolou uma corda da grossura de um polegar, com cento e vinte metros de comprimento. Primeiramente deixou metade dela cair, depois enrolou-a ao redor de um bloco de lava saliente e jogou a outra metade na chaminé.

Cada um de nós poderia, então, descer reunindo nas mãos as duas metades da corda que não podia escapar. Assim que descêssemos sessenta metros, nada mais simples do que recolhê-la, soltando uma ponta e rebocando a outra. Depois continuaríamos o exercício *ad infinitum*.

– Agora – disse meu tio, após ter acabado esses preparativos –, trataremos da bagagem. Será dividida em três pacotes, e cada um de nós levará um deles às costas. Evidentemente que estou falando apenas dos objetos frágeis.

E, é claro, que o audacioso professor não nos incluía nessa última categoria.

– Hans, pegue as ferramentas e uma parte dos alimentos. Axel, você fica com mais um terço dos alimentos e das armas. Eu levarei o resto dos alimentos e os instrumentos delicados.

– E as roupas e essa massa de cordas e escadas, quem as carregará? – perguntei.

– Elas descerão sozinhas.

– Como? – quis saber.

– Você já vai ver.

Meu tio gostava de usar métodos arriscados sem hesitar. Às suas ordens, Hans reuniu todos os objetos que não eram frágeis num único pacote, que, solidamente amarrado, foi simplesmente jogado no buraco. Ouvi aquele mugido sonoro provocado pelo deslocamento das camadas de ar. Debruçado sobre o abismo, meu tio acompanhava com um ar satisfeito a descida da bagagem e só se levantou após perdê-la de vista.

– Agora é nossa vez – disse.

Pergunto a qualquer homem de boa-fé se é possível escutar tais palavras sem estremecer.

O professor amarrou o pacote de instrumentos em suas costas. Hans pegou o das ferramentas e eu, o das armas. A descida começou na seguinte ordem: Hans, meu tio e eu. Aconteceu num profundo silêncio, perturbado apenas pela queda de pedaços de pedra que se precipitavam no abismo.

Fui, de certa forma, escorregando. Uma das minhas mãos apertava freneticamente a corda dupla, a outra segurava o bastão de ferro. Era dominado por uma única ideia, ou seja, temia perder o ponto de apoio. A corda parecia-me bem frágil para suportar o peso de três pessoas. Utilizava-a o mínimo possível, operando milagres de equilíbrio nas saliências de lava que meu pé tentava agarrar fazendo as vezes de mão.

Quando um desses degraus escorregadios se abalava sob os pés de Hans, ele dizia com sua voz tranquila:

– *Gif akt!*

– Cuidado! – repetia meu tio.

Depois de meia hora, chegamos à superfície de uma rocha bem encaixada na parede da chaminé. Hans puxou uma das pontas da corda; a outra ergueu-se no ar; após ultrapassar o rochedo superior, voltou a cair, raspando nos pedaços de pedra e de lava, espécie de chuva, ou melhor, de granizo bem perigoso. Debruçando-me nas bordas de nosso platô estreito, notei que o fundo do buraco ainda era invisível. Voltamos a manobrar a corda, e meia hora depois já havíamos descido mais sessenta metros.

Não sei se um geólogo fanático teria tentado estudar durante a descida a natureza dos terrenos que o rodeavam. Eu nem me preocupei com isso. Pouco me importava o que são pliocenos, miocenos, eocenos, cretáceos, jurássicos, triássicos, permianos, carboníferos, devonianos, silurianos ou primitivos. Mas com certeza o professor examinou-os ou tomou nota, pois, numa das paradas, disse:

– Quanto mais desço, mais tenho fé. A disposição desses terrenos vulcânicos dá toda a razão à teoria de Davy. Estamos em pleno solo primordial, no qual aconteceu a operação química dos metais em chamas em contato com o ar e a água. Rejeito totalmente o sistema de um calor central. Aliás, logo poderemos constatá-lo.

Sempre a mesma conclusão. Dá para entender que eu não visse a menor graça em discutir. Meu silêncio foi considerado um assentimento e recomeçamos a descer.

Ao final de três horas, ainda não enxergava o fundo da chaminé. Quando levantava a cabeça, via seu orifício diminuindo sensivelmente. Em decorrência da leve inclinação, as paredes tendiam a se aproximar. Estava cada vez mais escuro.

Continuávamos descendo. Parecia-me que as pedras que caíam das paredes desapareciam com uma repercussão mais suave e que estavam chegando com rapidez ao fundo do abismo.

Como tinha o cuidado de examinar com exatidão nossas manobras com a corda, sabia exatamente que profundidade havíamos atingido e quanto tempo havia passado. Vamos repetir catorze vezes a manobra que durava meia hora. Isso perfazia sete horas, mais catorze ou quinze minutos de descanso, ou três horas e meia. Ao todo, dez horas e meia. Vamos partir à uma, deviam ser onze horas.

Quanto à profundidade que havíamos alcançado, essas catorze manobras com uma corda de sessenta metros davam oitocentos cinquenta metros. Naquele momento, Hans falou:

– *Halt!*

Parei justamente quando meus pés estavam por se chocar com a cabeça de meu tio.

– Chegamos! – disse o tio.

– Onde? – perguntei, escorregando para perto dele.

– No fundo da chaminé perpendicular.

– Não há outra saída?

– Claro que há, uma espécie de corredor que estou entrevendo, e que obliqua para a direita. Veremos isso amanhã. Agora vamos jantar e dormir.

A escuridão ainda não era total. Abrimos a sacola de provisões, comemos e tentamos nos acomodar da melhor forma possível numa cama de pedras e detritos de lava.

E quando, deitado de costas, abri os olhos, vi um ponto brilhante na extremidade daquele tubo de mais de novecentos metros de comprimento que se transformava numa gigantesca luneta. Era uma estrela sem qualquer cintilação, que, segundo meus cálculos, devia ser Beta da Ursa Menor. Adormeci profundamente.

Capítulo 18

Às oito horas da manhã, fomos acordados por um raio de luz. As mil facetas da lava das paredes recolhiam esse raio à sua passagem e o distribuíam como uma chuva de faíscas. A claridade era forte o suficiente para que distinguíssemos os objetos que nos rodeavam.

– Axel, o que você me diz de tudo isso? – indagou meu tio, esfregando as mãos. – Você já passou uma noite tão tranquila assim em nossa casa da Königstrasse? Nada de barulho de charretes, nada de gritos dos comerciantes nem vociferações dos barqueiros!

– É verdade que tudo está bem calmo no fundo desse poço, mas essa calma tem algo de assustador.

– Vamos – gritou meu tio –, guarde seu medo para mais tarde. Só penetramos uma polegada nas entranhas da terra!

– O que o senhor quer dizer com isso?

– Que alcançamos apenas o solo da ilha. Esse longo tubo vertical que dá na cratera do Sneffels termina mais ou menos no nível do mar.

– O senhor tem certeza?

– Absoluta! Consulte o barômetro!

De fato, após ter voltado a subir no instrumento à medida que descíamos, o mercúrio havia parado em vinte e nove polegadas.

– Como você vê – continuou o professor –, só temos ainda a pressão de uma atmosfera, e estou impaciente para que o manômetro substitua o barômetro. O instrumento vai tornar-se realmente inútil assim que o peso do ar ultrapassasse sua pressão, calculada no nível do oceano.

– Mas essa pressão sempre crescente não pode se tornar penosa?

– Não. Estamos descendo lentamente, e nossos pulmões vão acostumar-se a respirar uma atmosfera mais comprimida. Falta ar aos aeronautas que sobem alto demais nas camadas superiores. Nós teremos provavelmente ar demais. Prefiro assim! Não percamos mais tempo! Onde está o pacote que nos precedeu?

Lembrei-me, então, que o tínhamos procurado em vão na véspera à noite. Meu tio fez a mesma pergunta a Hans, que, após examinar com seus olhos de caçador, respondeu:

– *Der huppe!*

– Lá em cima.

De fato, o pacote tinha ficado pendurado numa saliência de rocha, cerca de trinta metros acima de nós. Imediatamente o ágil islandês subiu até lá como um gato, e, em poucos minutos, o pacote estava ao nosso lado.

– Agora – disse meu tio – vamos comer, mas vamos comer como pessoas que podem ter uma longa jornada pela frente.

O biscoito e a carne seca foram regados com alguns goles de água com genebra. Terminada a refeição, meu tio tirou do bolso um bloco destinado às observações, pegou sucessivamente seus vários instrumentos e anotou os seguintes dados:

- Segunda-feira, 1º de julho
- Cronômetro: 8hr7min da manhã
- Barômetro: 29 p. 7 l.
- Termômetro: 6"
- Direção: L-S-L

A última observação referia-se à galeria obscura e foi indicada pela bússola.

– Agora, Axel – exclamou o professor com entusiasmo –, vamos embrenhar-nos de verdade nas entranhas do globo. É nesse preciso momento que nossa viagem vai começar.

Com essas palavras, meu tio pegou com uma mão o aparelho de Ruhmkorff pendurado em seu pescoço; com a outra, provocou o contato da corrente elétrica com a serpentina da lanterna, e uma luz bastante viva iluminou a galeria.

Hans carregava o segundo aparelho, igualmente ativado. Essa aplicação engenhosa da eletricidade permitia-nos caminhar por muito tempo, criando um dia artificial, mesmo no meio dos gases mais inflamáveis.

– Em frente! – ordenou meu tio.

Cada um de nós pegou seu fardo. Hans encarregou-se de empurrar o pacote com as cordas e as roupas. Entramos na galeria, eu em terceiro lugar. No momento de submergir naquele corredor estreito, ergui a cabeça e vi, pela última vez, no final do tubo imenso, o céu da Islândia "que jamais voltaria a ver". Na última erupção de 1229, a lava havia aberto um caminho para si por aquele túnel. Revestia o seu interior com um verniz espesso e brilhante, onde a luz elétrica se refletia, tornando-se cem vezes mais intensa.

O problema do percurso consistia em não escorregar depressa demais por uma vertente com inclinação de mais ou menos quarenta e cinco graus. Felizmente algumas erosões, alguns inchaços faziam as vezes de degraus, e nós só tínhamos de descer, deixando nossas bagagens, amarradas a uma longa corda, caírem.

Mas aquilo que formava degraus para nossos pés, tornava-se estalactite nas outras paredes. Porosa em alguns sítios, a lava apresentava pequenas ampolas arredondadas: cristais de quartzo opacos, enfeitados por límpidas gotas de vidro e suspensos na abóbada como lustres, pareciam acender-se quando passávamos. Era como se os espíritos do abismo estivessem iluminando seu palácio para receber os hóspedes da terra.

– É maravilhoso! – gritei involuntariamente. – Meu tio, que espetáculo! Veja os matizes da lava, que vão do vermelho amarronzado ao amarelo-brilhante através de graduações insensíveis! E esses cristais que parecem globos luminosos!

– Ah, finalmente você está entrando no espírito da expedição! – respondeu meu tio.

– Se você já acha isso maravilhoso, imagine o resto! Vamos, vamos!

Deveria ter dito "escorreguemos", pois largávamos nossos corpos pelas vertentes inclinadas. Era a Facilis descensus Averni de Virgílio. A bússola, que eu consultava com frequência, indicava a direção sudeste com um rigor imperturbável. Aquela corrente de lava não obliquava nem numa direção nem noutra. Tinha a inflexibilidade da linha reta.

Entretanto, o calor não havia aumentado de maneira sensível. O que dava razão às teorias de Davy, e por mais de uma vez consultei o termômetro com surpresa. Duas horas depois da partida, continuava marcando dez graus, ou seja, um aumento de quatro graus, o que me autorizava a pensar que nossa descida era mais horizontal do que vertical. Quanto a saber exatamente a nossa profundidade, nada mais fácil, o professor media exatamente os ângulos de desvio e de inclinação do percurso, mas guardava para si o resultado de suas observações. Por volta de oito horas da noite, mandou que parássemos. Hans sentou-se imediatamente.

Penduramos as lâmpadas numa saliência de lava. Estávamos numa espécie de caverna onde não faltava ar. Muito pelo contrário.

Éramos atingidos por certos sopros. O que os produzia? A que agitação atmosférica atribuir sua origem? Era um problema que não tentava resolver naquele momento. A fome e o cansaço tornavam-me incapaz de raciocinar. Não é possível descer por sete horas consecutivas sem gastar energia. Eu estava exausto. Foi com grande prazer, portanto, que ouvi a ordem de parada. Hans espalhou algumas provisões sobre um bloco de lava, e todos comemos com apetite.

Uma coisa me preocupava: já havíamos consumido metade de nossa reserva de água. Meu tio esperava que nos reabasteceríamos nas nascentes subterrâneas, mas até então não tínhamos encontrado nenhuma. Não consegui evitar chamar sua atenção para o problema.

– Essa ausência de nascentes o surpreende? – perguntou.

– Claro, e até me preocupa. Só temos água para mais cinco dias.

– Fique tranquilo, Axel, garanto-lhe que encontraremos água e muito mais do que necessitamos.

– Quando?

– Assim que deixarmos esse invólucro de lava. Como você quer que as nascentes jorrem através dessas paredes?

– E se essa corrente se prolongar por muito tempo? Parece que ainda não descemos muito na vertical.

– Por que essa suspeita?

– Porque, se tivéssemos avançado bastante para dentro da crosta terrestre, o calor seria mais forte.

– Segundo a sua opinião – respondeu meu tio. – Qual a temperatura que o termômetro está indicando?

– Indica apenas quinze graus, o que significa que a temperatura só aumentou nove graus desde a nossa partida.

– Conclua!

– Eis a minha conclusão. De acordo com as observações mais precisas, a temperatura aumenta um grau a cada trinta metros no interior do globo. Mas algumas condições de localidade podem modificar esses números. Assim, em Iacusca, na Sibéria, observou-se que a temperatura aumentava um grau a cada trinta e seis pés. É claro que essa diferença depende da condutibilidade das rochas. Acrescentaria também que, nas proximidades de um vulcão extinto e através do gnaisse, observou-se que a temperatura aumentava apenas um grau a cada trinta e oito metros.

Tomemos, portanto, essa última hipótese, que é a mais favorável, e façamos nossos cálculos.

– Calcule, meu filho!

– Nada mais fácil – disse, dispondo os números em meu caderninho: – nove vezes trinta e oito metros dá trezentos e quarenta e dois metros de profundidade.

– Corretíssimo!

– E então?

– Então que, segundo minhas observações, já estamos a mais de três mil metros abaixo do nível do mar.

– Será possível?

– Claro, ou os números não são mais números!

Os cálculos do professor estavam corretos. Já havíamos ultrapassado em quase dois mil metros as maiores profundezas alcançadas pelo homem, como as minas de Kitz-Bahl, no Tirol, e as de Wurttemberg, na Boêmia. A temperatura, que deveria ser de oitenta e um graus naquele lugar, era de apenas quinze. O que provocava reflexões.

Capítulo 19

No dia seguinte, terça-feira, 30 de junho, recomeçamos a descida. Continuamos a seguir a galeria de lava, verdadeira rampa natural, suave como os planos inclinados que ainda substituem as escadas nas velhas casas. Isso até meio-dia e dezessete, instante preciso em que nos encontramos com Hans.

– Ah! – exclamou meu tio. – Chegamos à extremidade da chaminé.

Olhei à minha volta. Estávamos no centro de uma encruzilhada, onde acabavam dois caminhos, ambos escuros e estreitos. Por qual deveríamos seguir? Era difícil resolver. Meu tio, entretanto, não quis parecer hesitante diante de mim ou do guia; designou o túnel do leste, e logo estávamos os três dentro dele.

Qualquer hesitação diante dos dois caminhos teria se prolongado indefinidamente, pois nenhum indício poderia determinar a opção por um ou por outro. Estávamos nas mãos do acaso.

A inclinação da nova galeria era pouco sensível, e seu perfil bastante desigual. Por vezes, uma sucessão de arcos de abóbada desenvolvia-se diante de nós como nas naves de uma catedral gótica. Os artistas da Idade Média teriam podido estudar ali todas as formas daquela arquitetura religiosa cujo gerador é a ogiva.

Um pouco além, tivemos de nos inclinar para atravessar os arcos rebaixados de estilo romano, e grandes pilares encastrados no maciço dobravam-se sobre o assento das abóbadas. Em certos trechos, essa disposição era substituída por substruções baixas, que pareciam obras de castores, e rastejávamos por passagens estreitas. O calor era suportável. Involuntariamente pensava em sua intensidade quando as lavas vomitadas pelo Sneffels se precipitavam por aquele caminho hoje tão tranquilo. Imaginava as torrentes de fogo quebradas pelos ângulos da galeria e o acúmulo de vapores superaquecidos naquele ambiente tão estreito!

Eu pensava:

– Contanto que o velho vulcão não resolva se recuperar...

Não comuniquei minhas reflexões ao tio Lidenbrock, que não as compreenderia. Seu único pensamento era seguir em frente. Caminhava, escorregava e até descambava, com a convicção de que, afinal de contas, era melhor admirar.

Às seis da tarde, após um passeio um tanto extenuante, tínhamos percorrido mais três quilômetros para o sul, mas só havíamos descido mil e duzentos metros em profundidade. Meu tio deu o sinal de descanso, comemos sem conversar muito, e dormimos sem pensar demais.

Nossas disposições para a noite eram bem simples: um cobertor de viagem, no qual nos enrolávamos, era toda a nossa roupa de cama. Não tínhamos por que temer o frio ou visitas inoportunas. Os viajantes que se embrenham pelos

desertos da África, ou pelas florestas do Novo Mundo, são obrigados a montar guarda durante as horas de sono. Aqui, solidão absoluta e segurança completa. Não precisávamos ter medo de nenhuma raça malfeitora, selvagem ou de animais ferozes.

No dia seguinte, acordamos recuperados e dispostos. Continuamos a andar. Seguíamos por um caminho de lava como na véspera. Impossível reconhecer a natureza dos terrenos que atravessava. Em vez de penetrar nas entranhas do globo, o túnel tendia a ficar completamente horizontal. Achei que estávamos voltando para a superfície da terra. Essa disposição tornou-se tão manifesta por volta das dez da manhã, e, consequentemente tão cansativa, que fui obrigado a moderar nossa marcha.

– O que houve, Axel? – perguntou o professor, impaciente.

– Acontece que não aguento mais – respondi.

– O quê! Depois de três horas de passeio num caminho tão fácil!

– Não estou dizendo que não é fácil, mas é extenuante.

– Como? Estamos descendo!

– Se o senhor me permite, estamos subindo!

– Subindo? Não pode ser – resmungou meu tio dando de ombros.

– É claro! Faz uma meia hora que as inclinações se modificaram, e, se continuarem assim, com certeza voltaremos à superfície da Islândia.

O professor abanou a cabeça como alguém que não quer ser convencido. Tentei retomar a conversa. Ele não me respondeu e deu o sinal de partida. Reparei que seu silêncio não passava de mau-humor concentrado.

Peguei meu fardo com coragem e segui com rapidez atrás de Hans, que precedia meu tio. Fazia questão de não me afastar.

Minha grande preocupação era não perder meus companheiros de vista. Tremia ao pensamento de extraviar-me nas profundezas daquele labirinto. Além disso, embora o caminho ascendente se tornasse mais penoso, consolava-me pensar que me aproximava da superfície da terra. Era uma esperança. Cada passada confirmava-o, e gozava antecipadamente a ideia de rever minha pequena Grauben.

Ao meio-dia, as paredes da galeria mudaram de aspecto, o que percebi pelo enfraquecimento da luz elétrica refletida nas muralhas. A rocha viva substituía o revestimento de lava. O maciço era composto de camadas inclinadas, geralmente dispostas na vertical. Estávamos em plena época de transição, em pleno período siluriano.

– É evidente – exclamei – que os sedimentos das águas formaram, na segunda era da Terra, esses xistos, esses calcários e esses grés!

Estamos deixando o maciço granítico! Parecemos com as pessoas de Hamburgo que pegam a estrada de Hanôver para ir a Liebeck! Devia ter guardado essas observações para mim. Mas meu temperamento de geólogo foi maior que a prudência, e o tio Lidenbrock ouviu minhas exclamações.

– O que há com você? – perguntou.

– Veja! – respondi, mostrando-lhe a sucessão variada de grés, calcários e os primeiros vestígios dos terrenos cobertos de ardósia.

– E daí?

– Acabamos de chegar ao período em que apareceram as primeiras plantas e os primeiros animais!

– Ah, você acha?

– Mas olhe, examine, observe!

Obriguei o professor a passear sua lanterna pelas paredes da galeria. Esperava que exclamasse algo. Mas ele nada disse e continuou a andar. Será que ele me entendeu? Será que não queria concordar por amor-próprio de tio e cientista que havia errado ao optar pelo túnel do leste, ou insistia em reconhecer aquela passagem até o fim? Era evidente que abandonamos a rota das lavas e que aquele caminho não nos levaria ao centro do Sneffels.

No entanto, perguntava-me se não estava dando importância demais à modificação dos terrenos. Não estava enganando a mim mesmo? Será que estávamos realmente atravessando as camadas de rocha sobrepostas ao maciço granítico?

Eu pensava assim:

– Se eu tiver razão, tenho de encontrar algum vestígio de planta primitiva. E, então, ele terá de dar o braço a torcer. Vou procurar.

Não andei nem cem passos quando encontrei provas incontestáveis. Era isso mesmo, pois, na época siluriana, os mares abrigavam mais de mil e quinhentas espécies vegetais ou animais.

Acostumados com o solo duro das lavas, meus pés pisaram, de repente, numa poeira composta de restos de plantas e conchas.

Nas paredes, distinguiam-se claramente marcas de algas e licopódios. Não enganariam o professor Lidenbrock. Mas acho que ele não queria ver e prosseguia num passo invariável.

Era teimosia demais. Não consegui mais me conter. Peguei uma concha em perfeito estado, que, provavelmente, teria pertencido a um animal semelhante ao bicho-de-conta atual, fui até meu tio e disse:

– Veja!

– O que é que tem? – disse tranquilamente. – É a concha de um crustáceo da ordem desaparecida dos trilobites. Nada além disso.

– Mas o senhor não conclui que...

– O mesmo que você? Claro. Sem dúvida. Abandonamos a camada de granito e o caminho das lavas. É possível que eu tenha me enganado. Mas só terei certeza do meu erro quando chegarmos ao final desta galeria.

– O senhor tem razão em agir dessa forma, meu tio, e eu não hesitaria em aprová-lo se não tivéssemos de temer um perigo cada vez mais ameaçador.

– Qual?

– A falta de água.

– Muito bem. Racionaremos, Axel.

Capítulo 20

Chegou um momento em que precisamos parar para pensar. Na hora do jantar, percebi que nossas provisões de água não durariam mais de três dias. E, terrível expectativa, tínhamos pouca esperança de encontrar qualquer nascente naqueles terrenos da época de transição. Durante todo o dia seguinte, a galeria exibiu seus intermináveis arcos. Caminhávamos sem dizer quase nada. Estávamos sendo possuídos pelo mutismo de Hans.

A estrada não subia, pelo menos de forma sensível. Por vezes, até parecia inclinar-se. Mas essa tendência, muito pouco marcada, não poderia tranquilizar o professor, pois a natureza das camadas não estava se modificando, o que reafirmava o período de transição.

A luz elétrica fazia os xistos, o calcário e os velhos grés vermelhos das paredes faiscarem com esplendor. Parecíamos estar num fosso aberto em Devonshire, que deu seu nome a esse tipo de terreno. As muralhas eram revestidas por magníficos gêneros de mármore, alguns de um cinza-ágata com veios brancos caprichosamente nítidos, outros encarnados ou de um amarelo manchado de vermelho; mais além, amostras de mármore raiado de vermelho-escuro, no qual o calcário se destacava em cores vivas.

A maioria desses mármores apresentava pegadas de animais primitivos. A criação progredira de forma evidente desde a véspera. Em vez de trilobites rudimentares, eu via vestígios de uma ordem mais perfeita; entre outras coisas, peixes ganoides e Sauropteris, nos quais a observação do paleontólogo soube descobrir as primeiras formas dos répteis. Os mares devonianos eram habitados por um grande número de animais daquela espécie, que foram depositados aos milhares nas rochas de nova formação.

Tornava-se evidente que estávamos subindo a escala da vida animal, cujo topo é ocupado pelo homem. Mas o professor Lidenbrock parecia não tomar conhecimento do fato.

Esperava duas coisas: que um poço vertical se abrisse a seus pés para permitir-lhe continuar descendo ou que um obstáculo o impedisse de continuar por aquele caminho. Porém, a noite chegou sem que nenhum desses desejos se tornasse realidade.

Na sexta-feira, após uma noite em que comecei a sentir os tormentos da sede, nossa pequena tropa embrenhou-se de novo pelos labirintos da galeria. Após dez horas de caminhada, percebi que a reverberação das lâmpadas nas paredes diminuía singularmente. O mármore, o xisto, o calcário e o grés das muralhas cediam lugar a um revestimento escuro e sem brilho. Num momento em que o túnel se tornara muito estreito, encostei-me na parede da esquerda.

Quando retirei a mão, ela estava completamente negra. Olhei com mais atenção. Estávamos em plena hulheira.

– Uma mina de carvão! – gritei.
– Uma mina sem mineiros – respondeu meu tio.
– Como pode saber?
– Eu sei – replicou o professor num tom breve –, e estou certo de que essa galeria perfurada através das camadas de hulha não foi feita por homens. Mas pouco importa se foi construída ou não pela natureza. Está na hora de jantar. Vamos comer!

Hans preparou a refeição. Mal comi e bebi as gotas de água que compunham minha ração. O cantil do guia pela metade era tudo o que restava para matar a sede de três homens.

Após terem comido, meus dois companheiros estenderam-se sobre seus cobertores e encontraram no sono o remédio para seu cansaço. Quanto a mim, não consegui dormir e contei as horas até de manhã.

No sábado, às seis horas, começamos a caminhar. Vinte minutos depois chegamos a uma ampla escavação. Reconheci que nenhuma mão humana poderia ter escavado aquela hulheira. As abóbadas só se sustentavam por um milagre de equilíbrio, já que não tinha escoras feitas pelo homem.

Essa espécie de caverna tinha trinta metros de largura por quarenta e cinco de altura. O terreno havia sido violentamente afastado por uma comoção subterrânea. Cedendo a algum impulso poderoso, o maciço terrestre havia se deslocado, deixando aquele vasto vazio onde os habitantes da terra penetravam pela primeira vez.

Toda a história do período hulheiro estava inscrita naquelas paredes escuras, e um geólogo poderia acompanhar com facilidade as diversas fases. Os leitos de carvão eram separados por extratos de grés ou de argila compactos e como que esmagados pelas camadas superiores.

Nessa era do mundo que precedeu a era secundária, a Terra foi recoberta por uma vegetação compacta em virtude do calor tropical e da umidade persistente. Uma atmosfera de vapores envolvia todo o globo, escondendo ainda os raios do sol.

Daí a conclusão de que as altas temperaturas não provinham desse novo centro. Talvez até mesmo o astro dos dias não estivesse pronto para desempenhar seu brilhante papel. Os "climas" ainda não existiam, e um calor tórrido espalhava-se por toda a superfície do globo, igual no equador e nos polos. De onde vinha? Do interior do globo.

A despeito das teorias do professor Lidenbrock, um fogo violento espalhava-se pelas entranhas do esferoide. A sua ação era sensível até nas últimas camadas da crosta terrestre, privadas da atuação benéfica dos eflúvios do sol. As plantas não davam flores nem perfumes, mas suas raízes extraíam muita vida dos terrenos ardentes dos primeiros dias.

Havia poucas árvores, apenas plantas herbáceas, imensos gramados, fetos, licopódios, sigilariáceas, asterofilitas, famílias raras cujos espécimes contavam-se então aos milhares.

Ora, deve-se a origem do carvão a essa vegetação exuberante. A crosta ainda elástica do globo obedecia aos movimentos da massa líquida que recobria. Daí fissuras e desmoronamentos. Arrastadas para baixo das águas, pouco a pouco formaram amontoamentos consideráveis.

Então interveio a ação da química natural; no fundo do mar, as massas vegetais a princípio viraram turfa. Depois, graças à influência dos gases e sob o fogo da fermentação, sofreram uma mineralização completa.

Uma mina de carvão! – gritei.

Assim formaram-se as imensas camadas de carvão, que o consumo excessivo deve, no entanto, esgotar em menos de três séculos se os povos industriais não tomarem cuidado.

Refletia sobre tudo isso, enquanto considerava as riquezas em carvão acumuladas naquela parte do maciço terrestre. Essas, com certeza, nunca seriam exploradas, pois o aproveitamento daquelas minas afastadas exigiria sacrifícios demais. Além disso, para que, se a hulha ainda pode ser encontrada na superfície da terra em um grande número de regiões? Aquelas camadas intactas que eu via, assim permaneceriam até a última hora do mundo.

Enquanto isso, caminhávamos, e, sozinho, esquecia-me do longo percurso para perder-me em considerações geológicas. A temperatura permanecia mais ou menos a mesma que a da nossa passagem entre as lavas e xistos. Apenas meu olfato sentia um cheiro muito forte de protocarboneto de hidrogênio.

Reconheci imediatamente naquela galeria a presença de uma significativa quantidade daquele fluido perigoso, chamado de grisu pelos mineiros, e cuja explosão provocou tantas vezes terríveis catástrofes. Ainda bem que nosso caminho era iluminado pelos engenhosos aparelhos de Ruhmkorff. Se, por azar, tivéssemos descido àquelas galerias com tochas, uma terrível explosão acabaria a viagem, suprimindo os viajantes.

A excursão na hulheira durou até a noite. Meu tio mal continha a impaciência, provocada pela horizontalidade da estrada. As trevas sempre profundas a vinte passos, nos impediam de estimar o comprimento da galeria, e eu começava a acreditar que não terminaria nunca quando, de repente, às seis horas, deparamos com um muro. Nenhuma passagem pela direita, pela esquerda, por cima ou por baixo. Chegamos a um beco sem saída.

– Melhor assim – exclamou meu tio –, agora sei em que me basear. Não estamos no caminho de Saknussemm, e a única alternativa é voltar atrás. Descansemos por uma noite. Em três dias, estaremos de volta ao ponto em que as duas galerias se bifurcam.

– Sem dúvida, se nos restarem forças!

– E por que não?

– Porque amanhã já não haverá mais água.

– E nem coragem? – disse o professor, olhando para mim com severidade.

Não ousei responder-lhe.

Capítulo 21

No dia seguinte, começamos cedo a nossa caminhada. Tínhamos de andar depressa pois estávamos a cinco dias de marcha da bifurcação. Não detalharei os sofrimentos de nossa volta. Meu tio os suportou com a raiva de um homem que não se sente o mais forte. Hans, com a resignação de sua natureza pacífica, e eu, confesso, lamentando-me e desesperando-me; não conseguia ter coragem em meio a tanto azar.

Como eu havia previsto, a água acabou no final do primeiro dia de caminhada. Nossa provisão líquida reduziu-se então a gim, mas a bebida infernal queimava a garganta, e eu nem aguentava mais ver. Achava sua temperatura sufocante. O cansaço me paralisava. Por mais de uma vez quase caí, inerte. Então paramos. Meu tio ou o islandês reconfortavam-me como podiam. Mas já constatava que o primeiro reagia penosamente contra a fadiga extrema e as torturas da privação da água.

Finalmente, na terça-feira, 7 de julho, arrastando-nos de joelhos, de quatro, chegamos semimortos ao ponto de encontro das duas galerias. Lá permaneci como uma massa inerte, estendido no chão de lava. Eram dez horas da manhã. Encostados na parede, Hans e meu tio tentaram mastigar alguns pedaços de biscoito. Seus lábios intumescidos soltavam longos gemidos. Caí desmaiado. Depois de algum tempo, meu tio aproximou-se de mim e ergueu-me em seus braços:

– Pobre criança – murmurou, num tom de piedade.

Não estava habituado à ternura do selvagem professor, senti-me tocado por suas palavras. Tomei suas mãos trêmulas entre as minhas. Ele as abandonou, olhando-me. Seus olhos estavam úmidos. Então vi que pegava o cantil pendurado em seu ombro.

Para meu grande estupor, aproximou-o de meus lábios.

– Beba! – disse.

Será que eu tinha ouvido bem? Meu tio estava louco? Olhei-o com um ar embrutecido. Não queria compreendê-lo.

– Beba!– repetiu.

E, erguendo o cantil, esvaziou-o inteiro entre meus lábios

Oh, gozo infinito! Um gole de água umedeceu minha boca em fogo, só um, mas foi suficiente para trazer-me de volta à vida que se esvaía. Agradeci a meu tio unindo as mãos.

– Sim – disse ele –, um gole de água, o último! Você está ouvindo? O último!

Guardei-o com todo o cuidado no fundo de meu cantil. Acredite, cem vezes tive de resistir ao terrível desejo de bebê-lo! Mas não, Axel, estava reservado para você!

– Tio! – murmurei, enquanto meus olhos se enchiam de lágrimas.

– Sim, pobre criança, sabia que, ao chegar nessa encruzilhada, você cairia, semimorto, e guardei minhas últimas gotas de água para reanimá-lo.

– Obrigado, obrigado! – exclamei.

Embora ainda estivesse com sede, recuperei-me um pouco. Os músculos de minha garganta, contraídos até então, relaxaram, e a inflamação de meus lábios passou a doer menos. Já conseguia falar.

– Agora – disse –, só nos resta um caminho. Estamos sem água. Temos de voltar atrás.

Enquanto eu falava, meu tio evitava me olhar. Baixava a cabeça e seus olhos fugiam dos meus.

– Temos de voltar – gritei –, voltar ao topo do Sneffels. Que Deus nos dê forças para conseguir subir até o alto da cratera!

– Voltar! – murmurou meu tio, como se respondesse mais a si mesmo do que a mim.

– Sim, voltar e sem perder nem um instante.

Seguiu-se um momento de silêncio bastante longo.

– Então, Axel – volveu o professor num tom estranho, essas poucas gotas de água não lhe devolveram a coragem e a energia?

– Coragem!

– Vejo que está abatido como antes e que ainda fala com desespero!

Com que tipo de homem eu estava lidando e quais os projetos de seu espírito audacioso?

– O quê? O senhor quer continuar?

– Desistir desta expedição quando tudo indica que ela pode dar certo? Nunca!

– Então devo resignar-me a perecer?

– Não, Axel, não! Não quero que você morra! Hans vai acompanhá-lo. Deixe-me sozinho!

– Abandoná-lo!

– Deixe-me, eu estou dizendo! Comecei esta viagem e irei até o fim, mesmo que não volte nunca mais. Vá, Axel, vá embora!

Meu tio parecia extremamente excitado. Sua voz, por um momento suave, voltava a ser dura, ameaçadora. Lutava contra o impossível com uma energia tenebrosa!

Não queria abandoná-lo no fundo daquele abismo, mas, por outro lado, o instinto de conservação dizia-me para fugir.

O guia acompanhava a cena com sua indiferença costumeira, mesmo entendendo o que acontecia entre seus dois companheiros. Nossos gestos eram mais do que suficientes para indicar que queríamos arrastar um ao outro para caminhos opostos. Hans, porém, parecia pouco interessado naquele problema que colocava sua vida em risco, pronto para partir se déssemos o sinal de partida, pronto para ficar se seu patrão quisesse.

O que eu não daria naquele momento para que ele me compreendesse! Minhas palavras, meus gemidos teriam convencido aquela natureza fria. Eu teria feito com que entendesse e sentisse os perigos de que mal suspeitava. Talvez nós dois conseguíssemos convencer o teimoso professor. Se houvesse necessidade, nós o obrigaríamos a voltar ao topo do Sneffels!

Aproximei-me de Hans. Pousei minha mão sobre a sua. Ele não se mexeu. Mostrei-lhe o caminho da cratera. Continuou imóvel. Meu rosto ofegante falava de todos os meus sofrimentos. O islandês abanou a cabeça com suavidade, designando meu tio com tranquilidade.

– *Master!* – murmurou.

– Patrão! – gritei. – Louco! Não, ele não é o senhor de sua vida! É preciso fugir! É preciso arrastá-lo! Você está me ouvindo? Dá para você me entender?

Peguei Hans pelo braço. Queria obrigá-lo a levantar-se. Lutei com ele. Meu tio interveio.

– Calma, Axel – disse. – Você nada conseguirá desse servidor impassível. Escute a minha proposta.

Cruzei os braços e encarei meu tio.

– A falta de água – disse – é o único obstáculo à realização de meus projetos. Na galeria leste, feita de lavas, xistos e hulha, não encontramos uma molécula líquida. Talvez tenhamos mais sorte no túnel oeste.

Abanei a cabeça com ar de profunda incredulidade.

– Escute-me até o fim – continuou o professor, forçando a voz. – Enquanto você jazia aqui sem movimento, fui examinar a conformação da segunda galeria. Ela penetra nas entranhas do globo e, em poucas horas, será capaz de levar-nos ao maciço granítico, onde deveremos encontrar muitas nascentes. Esse fato é determinado pela natureza da rocha, e o instinto está de acordo com a lógica para sustentar minha convicção. Eis o que quero propor-lhe. Quando Colombo pediu três dias à sua tripulação para encontrar novas terras, sua tripulação doente, apavorada aquiesceu a seu pedido, e ele descobriu o novo mundo. Eu, o Colombo destas regiões subterrâneas, só lhe peço mais um dia. Se, passado esse prazo ainda não tiver encontrado água, juro-lhe, voltaremos à superfície da terra.

A despeito de minha irritação, fiquei comovido com essas palavras e com a violência de meu tio contra si mesmo para falar daquela forma.

– Muito bem – concordei –, que seja feita a sua vontade e que Deus recompense sua energia sobre-humana! O senhor só tem mais algumas horas para tentar a sorte. Em frente!

Capítulo 22

Recomeçamos a descer agora pela outra galeria. Hans ia na frente, como de costume. Havíamos andado menos de cem passos, quando o professor, passeando sua lâmpada pelas muralhas, exclamou:

– Aqui estão as rochas primitivas! Estamos no caminho certo! Vamos, vamos!

No tempo em que a Terra resfriou gradualmente, a diminuição de seu volume produziu na crosta deslocamentos, rupturas, contrações e fendas. O corredor em que estávamos era uma fissura desse tipo, pela qual se espalhava outrora o grani-

to eruptivo. Seus mil desvios formavam um labirinto inexpugnável através do solo primordial.

À medida que descíamos, a sucessão de camadas que compunham o terreno primário aparecia com maior nitidez. A ciência geológica considera esse terreno primitivo como a base da crosta mineral, e reconheceu que é composta de três camadas diferentes, os xistos, os gnaisses, os micaxistos, que repousam sobre a impenetrável fundação que chamamos de granito.

Nunca um mineralogista esteve em circunstâncias tão propícias para estudar a natureza em seu estado verdadeiro. Iríamos estudar com nossos olhos, tocar com nossas mãos aquilo que uma máquina entediante e brutal não seria capaz de transportar para a superfície do globo.

Através das camadas de xistos, coloridos de belos matizes verdes, serpenteavam veios metálicos de cobre, de manganês com alguns vestígios de ouro e platina. Pensava naquelas riquezas escondidas nas entranhas do globo, de que a humanidade ávida jamais gozaria! As convulsões de tempos primitivos enterraram aqueles tesouros tão profundamente que nunca as pás ou as picaretas conseguirão arrancá-los de seus túmulos.

Os xistos foram substituídos por gnaisses de estrutura estratiforme, admiráveis pela regularidade e pelo paralelismo de suas folhas, depois por micaxistos dispostos em grandes lamelas realçadas pelas cintilações da mica branca.

A luz das lanternas, refletida pelas pequenas facetas da massa rochosa, cruzava seus jatos de fogo sob todos os ângulos, e eu sentia estar viajando por um diamante oco, no qual os raios se quebravam em mil cintilações. Por volta das seis horas, essa festa de luz diminuiu sensivelmente, quase cessou; as paredes assumiram um matiz cristalizado, mas escuro; a mica misturou-se mais intimamente com o feldspato e o quartzo para formar a rocha por excelência, a pedra mais dura de todas, a que suporta, sem ser esmagada, os quatro andares de terrenos do globo. Estávamos numa imensa prisão de granito.

Eram oito da noite. Ainda não tínhamos sinais de água. Eu sofria terrivelmente. Meu tio ia na frente. Não queria parar. Aguçava os ouvidos para surpreender os murmúrios de alguma fonte. Mas nada! Minhas pernas se recusavam a me carregar. Resistia às minhas torturas para não obrigar meu tio a parar. Teria sido desesperador para ele, pois o dia estava acabando. Finalmente, as forças me abandonaram. Dei um grito e caí.

– Socorro! Estou morrendo!

Meu tio voltou. Considerou-me cruzando os braços. Depois, saíram essas palavras surdas de seus lábios:

– Está tudo acabado!

A última coisa que vi foi um terrível gesto de raiva, e fechei os olhos. Quando voltei a abri-los, vi meus dois companheiros imóveis e enrolados em seus cobertores. Será que estavam dormindo? Quanto a mim, não consegui adormecer. Sofria demais, principalmente ao pensar que o meu mal não tinha remédio. As últimas palavras de meu tio ressoavam em meus ouvidos. "Está tudo acabado!", pois em tal estado de fraqueza, nem dava para pensar em voltar à superfície do globo.

Acima de nós havia mais de sete mil metros de crosta terrestre! Parecia que isso tudo pesava sobre meus ombros. Sentia-me esmagado, e extenuava-me em esforços violentos para virar-me em meu leito de granito. Passaram-se algumas horas. Reinava um silêncio profundo ao nosso redor, um silêncio sepulcral. Nada se ouvia através daquelas muralhas, em que a mais fina tinha oito quilômetros de espessura. No entanto, em meio ao meu torpor, acreditei ter ouvido um ruído. Estava muito escuro no túnel. Olhei com mais atenção e achei ter visto o islandês desaparecer, de lanterna na mão. Por que estaria indo embora? Estaria nos abandonando? Meu tio dormia. Quis gritar. A voz não conseguiu sair pelos meus lábios ressecados. A escuridão tornara-se profunda, e os últimos ruídos acabaram de se apagar.

– Hans está nos abandonando! – gritei – Hans! Hans!

Gritava essas palavras, mas elas soavam apenas dentro de mim. No entanto, após o primeiro instante de terror, tive vergonha de minha suspeita em relação a um homem que até então não havia revelado qualquer comportamento ruim. Sua partida não podia ser uma fuga. Em vez de subir a galeria, descia. As más intenções o levariam para cima e não para baixo. Esse raciocínio me acalmou um pouco e passei para outra ordem de ideias. Somente um motivo grave teria arrancado Hans, aquele homem tranquilo, de seu repouso. Estava partindo para uma descoberta. Teria ouvido na noite silenciosa algum murmúrio que eu não havia percebido?

Capítulo 23

Meu cérebro em delírio ficou durante uma hora imaginando todos os motivos possíveis para o ato do tranquilo caçador. As ideias mais absurdas confundiam-se em minha cabeça. Achei que ia ficar louco! Mas, finalmente, ouvi um ruído no fundo do abismo. Hans estava voltando. Uma luz incerta começou a insinuar-se pelas paredes, desembocando depois pelo orifício do corredor. Hans apareceu. Aproximou-se de meu tio, tocou seu ombro com a mão e acordou-o com suavidade. Meu tio levantou-se.

– O que aconteceu? – perguntou.

– *Watten* – respondeu o islandês.

Deve-se acreditar que, inspirado por sofrimentos violentos, todos se tornam poliglotas. Não conhecia uma única palavra de dinamarquês, mas instintivamente compreendi o que nosso guia estava dizendo.

– Água, água! – gritei, batendo as mãos, gesticulando como um louco.

– Água! – repetiu meu tio. – Hvar? – perguntou ao islandês.

– *Nedat* – respondeu Hans.

Onde? Lá embaixo. Eu compreendia tudo. Peguei as mãos do caçador e apertava-as, enquanto ele me olhava com calma. Os preparativos para a partida não demoraram, e logo caminhávamos por um corredor bem inclinado. Uma hora depois, tínhamos andado dois quilômetros e descido seiscentos metros. Naquele momento, ouvi distintamente um som inabitual correr pelos flancos da muralha granítica, uma espécie de rugido surdo, como o de uma tempestade distante. Como durante a primeira meia hora de caminhada não havíamos encontrado a fonte anunciada, comecei a me sentir novamente angustiado, mas meu tio me indicou a origem dos ruídos.

– Hans não se enganou – disse. – Isso que você está ouvindo é o som de uma torrente.

– Uma torrente? – indaguei.

– Não há mais dúvidas. Um rio subterrâneo circula ao nosso redor.

Apressamos o passo, animados pela esperança. Não sentia mais o cansaço. Aquele ruído de água murmurante já me refrescava. Aumentava sensivelmente. Após ter-se sustentado por um período acima de nossas cabeças, agora a torrente corria pela parede da esquerda, rugindo e saltando. Eu ficava passando a mão na rocha, esperando encontrar vestígios de umidade, mas em vão. Mais meia hora se passou. Transpusemos mais meia légua. Tornou-se então evidente que o caçador não tinha ido em suas pesquisas muito além daquele ponto.

Guiado por um instinto próprio aos montanheiros, "sentiu" a torrente através da rocha, mas com certeza não viu o precioso líquido, ele não tinha bebido nada. Também logo constatamos que, se continuássemos a andar, iríamos afastar-nos da torrente, cujo som parecia diminuir. Recuamos. Hans parou no ponto preciso em que a água parecia mais próxima. Sentei-me perto da muralha, enquanto as águas corriam a meio metro de mim com extrema violência. Mas ainda estávamos separados delas por uma parede de granito.

Sem refletir ou perguntar-me se não existiria algum meio de obter aquela água, deixei-me levar por um primeiro momento de desespero. Hans olhou para mim, e acreditei ter visto um sorriso em seus lábios. Ele levantou-se e pegou a lâmpada. Acompanhei-o. Dirigiu-se para a muralha. Fiquei olhando para ele. Ele colou sua orelha na pedra e passeou-a, ouvindo com muito cuidado. Compreendi que estava procurando o ponto em que a torrente fazia mais barulho. Encontrou-o na parede lateral da esquerda, quase um metro acima do chão. Como eu estava emocionado! Nem ousava adivinhar o que o caçador queria fazer! Mas tive de compreendê-lo e aplaudi-lo, enchê-lo de carinho, quando vi que pegava sua picareta para quebrar a rocha.

– Estamos salvos! – gritei.

– Sim – repetia meu tio em frenesi. – Hans tem razão!

Ah, belo caçador. Não pensamos em fazer isso! Com toda a certeza, por mais simples que fosse esse meio, jamais teríamos tido essa ideia. Nada mais perigoso do que uma picaretada naquela estrutura do globo. Quem poderia garantir que não seríamos esmagados por algum desmoronamento? E se a torrente que surgisse pela rocha provocasse uma inundação? Não eram perigos imaginários. Contudo, naquele momento, o temor de desmoronamento ou inundação não poderia nos deter,

e nossa sede era tão intensa que, para matá-la, teríamos escavado o próprio leito do oceano.

Hans começou a executar o trabalho que nem eu nem meu tio teríamos coragem de fazer. Levados pela impaciência, a rocha teria estourado sob nossos golpes precipitados. Ao contrário, calmo e moderado, o guia desgastou pouco a pouco o rochedo com uma série de picaretadas, cavando uma abertura de seis polegadas. Eu ouvia o barulho da torrente aumentar e já sentia a água benéfica em meus lábios.

Logo a picareta penetrou pouco mais de meio metro na muralha de granito. O trabalho durava mais de uma hora. Torcia-me de impaciência.

Meu tio quis empregar meios mais violentos. Foi difícil detê-lo, e já havia pego sua picareta quando ouvimos um assobio. Um jato de água jorrou da muralha e foi quebrar-se na parede oposta. Um tanto alterado pelo choque, Hans não conseguiu conter um grito de dor. Consegui compreendê-lo quando mergulhei minhas mãos no jato líquido. Também soltei uma exclamação violenta. A água da fonte estava fervendo!

– Água a cem graus! – exclamei.

– Esfriará – respondeu meu tio.

O corredor enchia-se de vapores, enquanto se formava um riacho que ia perder-se nas sinuosidades subterrâneas; logo tomávamos o primeiro gole. Ah! Que prazer! Que voluptuosidade incomparável! O que era aquela água? De onde vinha? Não tinha nenhuma importância. Era água e, embora ainda quente, trazia de volta ao coração a vida que lhe fugia. Bebi sem parar, sem nem mesmo degustar. Somente depois de um minuto de deleite exclamei:

– Mas é água ferruginosa!

– É excelente para o estômago – replicou meu tio –, pois contém um alto grau de mineralização! Essa viagem acabou valendo por uma estação de águas em spa ou toeplitz!

– Ah, como é bom!

– Com toda a certeza, uma fonte a dez quilômetros sob a terra!

Tem um gosto de tinta nada desagradável. Que bela nascente Hans descobriu para nós! Proponho seu nome para esse saudável riacho.

– Concordo! – exclamei.

E adotamos imediatamente o nome de "Hans Bach". Hans não demonstrou maior orgulho. Após ter saciado a sede com moderação, encostou-se num canto com sua calma habitual.

– Agora – disse –, não devemos deixar que essa água se perca.

– Para quê? – perguntou meu tio. – Acho que a nascente é inesgotável.

– De qualquer modo, vamos encher nossos cantis e depois tentaremos tampar a abertura.

Meus companheiros acataram meu conselho. Em meio aos estouros de granito e estopa, Hans tentou obstruir o entalhe na parede, o que não foi fácil. Queimávamos a mão sem conseguir nada; a pressão era forte demais, e nossos esforços foram em vão.

— É evidente que os lençóis superiores desse curso de água localizam-se a uma grande altitude, a força do jato prova isso! — comentei.

Com toda a certeza — disse meu tio. — Se a coluna de água tiver quase dez mil metros de altura, estamos diante de mil atmosferas de pressão. Mas pensei uma coisa...

— O quê?

— Por que temos de tampar a abertura?

— Porque... — Não consegui encontrar uma boa razão.

— Temos certeza de que encontraremos água quando nossos cantis estiverem vazios?

— É claro que não.

— Então deixemos essa água correr! Ela descerá naturalmente e nos guiará e refrescará no caminho!

— Que boa ideia! — exclamei — e, com esse riacho por companheiro, não há mais nenhum motivo para que nossos planos não deem certo.

— Ah, você acaba de compreender tudo, meu caro — riu o professor.

— Não só compreendi, como também estou acompanhando tudo.

— Um momento, antes de mais nada, descansemos por algumas horas.

Esqueci completamente de que era noite. O cronômetro encarregou-se de me informar. Logo todos nós, suficientemente refeitos e refrescados, caímos num sono profundo.

Capítulo 24

No dia seguinte, já havíamos esquecido nossos sofrimentos. Era incrível que não sentia mais sede e me perguntava por que. A corrente de água que corria a meus pés me respondeu. Depois do café da manhã, bebemos aquela maravilhosa água ferruginosa.

Sentia-me reanimado e decidido a ir longe. Por que um homem convicto como meu tio não obteria êxito com um guia esperto como Hans e um sobrinho determinado como eu? Que ideias passavam pela minha mente! Se me propusessem voltar ao cimo do Sneffels, iria recusar, indignado. Felizmente, era só uma questão de descer.

— Vamos! — gritei, acordando os velhos ecos do globo com minha voz entusiasmada.

Recomeçamos a andar na quinta-feira, às oito horas da manhã. O corredor de granito, cheio de desvios sinuosos, apresentava cotovelos inesperados e parecia um labirinto; mas, em suma, sua direção principal era sempre sudeste. Meu tio não parava de consultar a bússola com o maior cuidado para saber exatamente para onde estávamos indo. A galeria embrenhava-se quase horizontalmente, com pequena inclinação. O riacho corria sem precipitação, murmurando a nossos pés. Parecia um espírito familiar que nos guiava pela terra e acompanhava nossos passos.

Meu bom humor assumia cada vez mais feições mitológicas. Meu tio já praguejava contra a horizontalidade da estrada, ele, "homem das verticais". Seu caminho prolongava-se indefinidamente e, em vez de escorregar ao longo do raio terrestre, seguia, de acordo com o que dizia, pela hipotenusa. Mas não tínhamos escolha e por menos que avançássemos em direção ao centro, não tínhamos do que nos queixar.

De vez em quando, as inclinações tornavam-se mais íngremes e afundávamos com ela. Em suma, naquele dia e no dia seguinte, percorremos uma boa distância horizontal e relativamente pouco caminho vertical.

Segundo as estimativas, na sexta-feira à noite, 10 de julho, devíamos estar a quase cento e cinquenta quilômetros a sudoeste de Reykjavik e a uma profundidade de doze quilômetros. Abriu-se, então, sob nossos pés, um poço bastante assustador. Meu tio não conseguiu evitar aplaudir depois de calcular o declive de suas vertentes.

– Isso pode nos levar longe e com muita facilidade – gritou –, pois as saliências da rocha formam uma verdadeira escada!

Hans arrumou as cordas de forma a prevenir qualquer acidente. Começamos a descer. Não ouso chamar a descida de perigosa, pois já estava familiarizado com aquele tipo de exercício.

O poço era uma fenda estreita no maciço do tipo a que chamamos de "falha". Com certeza foi produzida pela contração da estrutura terrestre na época de seu resfriamento. Se outrora serviu de passagem ao material eruptivo vomitado pelo Sneffels, não conseguia encontrar qualquer explicação para o fato de não ter deixado algum vestígio. Descíamos por uma espécie de escada em caracol, que parecia ter sido feita pelo homem.

De quinze em quinze minutos, tínhamos de parar para descansar um pouco para que as barrigas de nossas pernas voltassem à sua elasticidade normal. Então sentávamos em qualquer saliência, as pernas penduradas, conversávamos comendo e matávamos a sede no riacho. Nem é preciso dizer que naquela falha o Hans Bach transformou-se numa cascata em detrimento de seu volume, mas era mais do que suficiente para matar nossa sede. Além disso, nos declives menos íngremes, não deixava de voltar ao seu curso tranquilo. Naquele momento, lembrava-me meu digno tio, com seus acessos de impaciência e de raiva, enquanto, nas inclinações mais suaves, mantinha a calma do caçador islandês.

Nos dias 11 e 12 de julho, seguimos as espirais da falha, penetrando mais dez quilômetros na crosta terrestre, o que perfazia quase vinte e cinco quilômetros do nível do mar. Mas no dia 13, por volta do meio-dia, a falha assumiu na direção sudeste uma inclinação bem mais suave, de cerca de quarenta e cinco graus. O caminho tornou-se então fácil e muito monótono. Difícil ser de outra forma. A viagem não podia ser variada pelos incidentes da paisagem.

Finalmente, na quarta-feira, 15 de julho, estávamos a trinta e quatro quilômetros sob a terra e a mais ou menos duzentos e quarenta quilômetros de Sneffels.

Embora um pouco cansados, o nosso estado de saúde era tranquilizador. Nem chegamos a usar nossa farmácia de viagem.

Meu tio anotava hora a hora as indicações da bússola, do cronômetro, do manômetro e do termômetro. Essas notas fizeram parte do relato científico de sua viagem. Era, portanto, fácil saber exatamente nossa situação. Quando me disse que estávamos a uma distância horizontal de duzentos e quarenta quilômetros, não pude conter uma exclamação.

– O que você tem? – perguntou.

– Nada, só estou pensando uma coisa.

– No quê, meu jovem?

– É que, se seus cálculos estão corretos, não estamos mais sob a Islândia.

– Você acha?

– É fácil verificar.

Com o compasso medi as distâncias no mapa.

– Não estava enganado – disse. – Ultrapassamos o cabo Portland, e esses duzentos e quarenta quilômetros a sudeste colocam-nos em pleno mar.

– Em pleno mar! – replicou meu tio, esfregando as mãos.

– Desta forma – exclamei –, o oceano se estende sobre nossas cabeças!

– Ora, Axel, nada mais natural! Não existem minas de carvão em Newcastle que se estendem por muitos quilômetros sob as ondas?

Para o professor, essa situação podia parecer muito simples, mas a ideia de passear sob a massa aquática não deixou de me preocupar. E, no entanto, fazia ter suspensas sobre nossas cabeças as montanhas da Islândia ou as vagas do Atlântico, desde que a estrutura granítica fosse sólida. Além disso, acostumei-me rapidamente com a ideia pois o corredor, ora reto, ora sinuoso, caprichoso em suas inclinações e seus desvios, nos conduziu com rapidez a grandes profundidades.

Quatro dias depois, no sábado, 18 de julho, à noite, chegamos a uma espécie de gruta bem grande. Meu tio fez o pagamento semanal a Hans, e decidimos descansar durante todo o dia seguinte.

Capítulo 25

No domingo de manhã, acordei sem aquela preocupação costumeira de partir imediatamente. E embora isso acontecesse no mais profundo dos abismos, não deixava de ser agradável. Além disso, já havíamos nos habituado àquela vida de trogloditas.

Eu não pensava mais no sol, nas estrelas, na lua, nas árvores, nas casas, nas cidades, enfim, em todas aquelas superficialidades terrestres transformadas em necessidade pelo ser sublunar. Em nossa qualidade de fósseis, desdenhávamos aquelas maravilhas inúteis.

A gruta parecia uma vasta sala. Sobre seu solo granítico, corria suavemente o riacho fiel. A tal distância da nascente, sua água tinha a temperatura ambiente e não era mais difícil de beber.

Depois do almoço, o professor quis dedicar algumas horas para colocar em ordem suas anotações diárias. Disse:

– Primeiro, vou fazer alguns cálculos para levantar exatamente nossa posição; na volta, pretendo traçar um mapa de nossa viagem, uma espécie de corte vertical do globo que mostrará o perfil de nossa expedição.

– Será muito curioso, meu tio; mas suas observações serão precisas o suficiente?

– Sim. Anotei com cuidado os ângulos e as inclinações. Estou certo de que não me enganei. Antes de mais nada, vejamos onde estamos. Pegue a bússola e observe a direção que ela indica.

Olhei o instrumento e, após um exame cuidadoso, respondi:

– Leste-quarto-sul-leste.

– Bem – murmurou o professor, anotando a observação e fazendo alguns cálculos rápidos. Concluo que, desde nossa partida, percorremos mais de quatrocentos quilômetros.

– Estamos viajando sob o Atlântico?

– Exatamente.

– E talvez nesse momento esteja caindo uma tempestade, e as ondas e o furacão estejam sacudindo navios sobre nossas cabeças?

– É possível.

– E as baleias estejam tocando com suas caudas as muralhas de nossa prisão?

– Fique tranquilo, Axel, não conseguirão abalá-la. Mas voltemos a nossos cálculos. Estamos a sudeste, a quatrocentos e dez quilômetros da base do Sneffels e, de acordo com as minhas anotações anteriores, avalio nossa profundidade em quase oitenta quilômetros.

– Oitenta quilômetros?! – repeti.

– Com certeza.

– Mas é o limite extremo delimitado pela ciência à espessura da crosta terrestre!

– Não nego.

– E aqui, conforme a lei do aumento da temperatura, deveria estar um calor de mil e quinhentos graus.

– Deveria, meu jovem.

– E todo esse granito não se manteria em estado sólido e estaria em plena fusão.

– Como você vê, não é bem assim e, como de hábito, os fatos desmentem as teorias.

– Sou obrigado a concordar, mas isso me surpreende.

– O termômetro está marcando...

– Vinte sete graus e seis décimos.

– Os cientistas se enganaram em mil quatrocentos e setenta e quatro graus e quatro décimos. O aumento proporcional da temperatura é, portanto, um erro. Humphry Davy não estava enganado. Nem eu errei em ouvi-lo. O que você diz disso?

– Nada.

Na verdade, eu tinha muito a dizer. Não admitia a teoria de Davy, continuava apostando no calor central, embora absolutamente não sentisse seus efeitos. Sinceramente, preferia admitir que aquela chaminé de um vulcão extinto, recoberta pelas lavas de uma camada refratária, não permitia que a temperatura se propagasse pelas suas paredes. Mas, sem tentar encontrar novos argumentos, limitava-me a aceitar a situação tal como era.

– Meu tio – continuei –, considero todos os seus cálculos exatos, mas permita-me chegar, a partir deles, a consequências rigorosas.

– À vontade, caro jovem.

– No ponto em que estamos, sob a latitude da Islândia, o raio terrestre é de mais ou menos seis mil e quatrocentos quilômetros?

– Seis mil, trezentos e setenta e oito quilômetros.

– Arredondemos isso para seis mil e quatrocentos... De uma viagem de seis mil e quatrocentos quilômetros, nós percorremos cinquenta e sete?

– Exatamente.

– Isso equivale a quatrocentos e dez quilômetros de diagonal?

– Isso mesmo.

– Em cerca de vinte dias?

– Em vinte dias.

– Ora, sessenta e sete quilômetros correspondem a um centésimo do raio terrestre. Sendo assim, levaremos dois mil dias ou quase cinco anos e meio descendo!

O professor não respondeu.

– Sem contar que muito tempo antes de alcançar o centro, já teremos saído por um ponto da circunferência!

– Ao diabo com seus cálculos! – replicou meu tio com um gesto de raiva. – Ao diabo com suas hipóteses! Em que se baseiam? Quem lhe garante que esse corredor não dará diretamente em nosso objetivo? Aliás, tenho um precedente a meu favor. Outro já fez o que estou fazendo, outro já foi bem-sucedido e eu também terei êxito.

– Espero que sim, mas, enfim, posso...

– Você pode se calar, Axel, já que está dizendo coisas tão irracionais.

Observei que o terrível professor ameaçava reaparecer na pele do tio e resolvi evitar tal desenlace.

– Agora, consulte o manômetro – retomou. – O que indica?

– Uma pressão considerável.

– Você percebe que descendo suavemente, nos acostumando pouco a pouco com a densidade da atmosfera, quase não a sentimos?

– Quase nada, só um pouco de dor de ouvido.

– Isso não é nada, e esse mal-estar desaparecerá se colocar o ar exterior rapidamente em contato com o ar encerrado em seus pulmões.

– Com certeza – respondi, resolvido a não mais contrariar meu tio. – Dá até prazer se sentir mergulhado numa atmosfera mais densa. O senhor observou com que intensidade o som se propaga?

– Sem dúvida! Um surdo acabaria ouvindo às mil maravilhas.

– Mas essa densidade aumentará com toda a certeza?

– Sim, de acordo com uma lei muito pouco determinada.

É verdade que a intensidade da gravidade diminuirá à medida que descermos. Você bem sabe que ela é sentida com maior nitidez na própria superfície da terra, e que no centro do globo os objetos deixam de pesar.

– Sei, mas diga-me, o ar não acabará por adquirir a densidade da água?

– Claro, sob uma pressão de setecentas e dez atmosferas.

– E mais embaixo?

– Mais embaixo, a densidade aumentará mais ainda.

– Então como desceremos?

– Colocaremos pedregulhos nos bolsos.

– Que incrível, meu tio, o senhor tem resposta para tudo.

Não ousei ir além do campo das hipóteses, pois teria chegado a qualquer outra impossibilidade que faria o professor ter uma síncope. No entanto, era evidente que o ar, sob uma pressão que poderia alcançar milhares de atmosferas acabaria por chegar ao estado sólido e então, mesmo admitindo-se que nossos corpos resistissem, seria preciso parar a despeito de todos os raciocínios do mundo.

Mas não insisti nesse argumento. A resposta de meu tio seria, mais uma vez, seu eterno Saknussemm, precedente sem qualquer valor, pois, mesmo que considerássemos a viagem do cientista islandês como comprovada, a resposta seria bem simples:

No século XVI, nem o manômetro nem o termômetro haviam sido inventados; então como Saknussemm poderia afirmar ter chegado ao centro do globo?

Guardei, porém, essa objeção para mim mesmo e aguardei os acontecimentos.

Passamos o resto do dia em cálculos e conversas. Concordei todo o tempo com o professor Lidenbrock, invejando a indiferença completa de Hans, que, sem procurar tantas causas e efeitos, deixava-se conduzir cegamente pelo destino.

Capítulo 26

As coisas estavam indo bem até então e não tinha por que reclamar. Se as dificuldades não aumentassem, não deixaríamos de alcançar nosso objetivo. E então, que glória! Cheguei a ter esses pensamentos à la Lidenbrock. Sério. Seria devido ao meio estranho em que vivia? Talvez.

Durante alguns dias, fomos levados para o fundo do maciço interno por inclinações mais rápidas, algumas bem íngremes. Em certos dias, avançávamos de uma légua e meia a duas para o centro.

A habilidade de Hans e seu maravilhoso sangue-frio nos foram muito úteis nas descidas perigosas. O impassível islandês sacrificava-se com uma inacreditável desenvoltura, e graças a ele superamos mais de um obstáculo, que só eu e meu tio não teríamos conseguido ultrapassar.

Por exemplo, seu silêncio aumentava a cada dia que passava. Acho até que nos contagiava. Os objetos externos exercem uma ação real sobre o cérebro. Os que estão presos entre quatro paredes acabam por perder a faculdade de associar as ideias e as palavras. Quantos prisioneiros se tornaram imbecis e até loucos por não exercitar o raciocínio! Nas duas semanas seguintes à nossa última conversa, não aconteceu qualquer incidente digno de nota. Só tenho gravado na memória, e com razão, um único acontecimento de extrema gravidade. Eu teria dificuldade em esquecer seus mínimos detalhes.

No dia 7 de agosto, nossas sucessivas descidas haviam nos conduzido a uma profundidade de quase cento e cinquenta quilômetros, ou seja, essa distância em rochas, oceano, continentes e cidades sobre nossa cabeça. Devíamos estar a novecentos e sessenta e cinco quilômetros da Islândia.

Naquele dia, o túnel seguia um plano pouco inclinado. Eu caminhava à frente. Meu tio carregava um dos aparelhos Ruhmkorff e eu, o outro. Examinava as camadas de granito. De repente, quando me virei, percebi que estava sozinho.

Pensei que estivesse andando depressa demais ou meu tio e Hans pararam no caminho. Resolvi voltar até eles. Felizmente a subida não era das piores.

Voltei e caminhei por uns quinze minutos. Olhei. Ninguém. Chamei. Nenhuma resposta. Minha voz perdeu-se em ecos cavernosos despertados de repente. Comecei a ficar nervoso. Meu corpo foi percorrido por um arrepio.

– Calma – eu disse em voz alta. – Tenho certeza de que encontrarei meus companheiros. Não há dois caminhos! Ora, eu estava na frente, basta voltar.

Subi por mais uma meia hora. Prestava atenção para tentar ouvir algum chamado que, naquela atmosfera tão densa, podia chegar a mim de longe. Reinava um silêncio extraordinário na imensa galeria.

Parei. Não conseguia acreditar em meu isolamento. Adoraria ter-me enganado e não perdido.

É mais fácil encontrar o caminho quando só nos enganamos. Repetia comigo:

– Vejamos, como só há um caminho, e eles o seguem, devo reencontrá-los. Basta subir mais um pouco. A menos que, como não me vissem, e tenham se esquecido que eu estava na frente, tenham tido a ideia de voltar. Muito bem, mesmo nesse caso, se eu me apressar, não deixarei de encontrá-los. É óbvio. Repeti as últimas palavras nada convencido.

Para associar essas ideias tão simples e reuni-las em forma de raciocínio, demorei muito tempo.

Surgiu uma dúvida: será que eu estava mesmo na frente? É claro, Hans estava atrás de mim, na frente de meu tio. Até parara por alguns momentos para amarrar melhor a bagagem em seu ombro. Esse detalhe voltava-me à cabeça. Foi justamente naquele momento que devo ter continuado. Pensava:

– Há um meio seguro de não me perder, um fio que não quebra para guiar-me nesse labirinto, o meu fiel riacho. Basta eu subir seu curso e forçosamente encontrarei a pista de meus companheiros.

Esse raciocínio me reanimou, e resolvi recomeçar a andar sem perda de tempo. Como bendisse então a precaução de meu tio, que impediu o caçador de fechar o entalhe feito na parede de granito! Dessa forma, além de saciar nossa sede, a fonte benéfica iria guiar-me pelas sinuosidades da crosta terrestre.

Antes de começar a subir, achei que seria bom lavar o rosto. Abaixei-me para mergulhar o rosto na água do Hans Bach! Imaginem o meu susto! Estava pisando num granito seco e áspero! O riacho não estava mais correndo a meus pés!

Capítulo 27

É impossível descrever meu desespero. Nenhuma palavra conseguiria transmitir o que eu estava sentindo. Estava enterrado vivo, tendo como perspectiva morrer em meio às torturas da fome e da sede. Passava maquinalmente minhas mãos ardentes pelo chão. Como aquela rocha me parecia ressecada! Como teria abandonado o curso do riacho? Afinal, ele não estava mais ali! Então compreendi o motivo daquele silêncio estranho quando, pela última vez, prestei atenção para tentar ouvir algum chamado de meus companheiros. Quando meu primeiro passo me conduziu a àquele caminho imprudente, não reparei na ausência do riacho. É evidente que, naquele momento, uma bifurcação da galeria abrira-se diante de mim, enquanto o Hans Bach, obedecendo aos caprichos de uma outra inclinação, ia junto a meus companheiros em direção às profundezas desconhecidas! Como voltar? Não havia qualquer pista! Meus pés não deixaram qualquer marca no granito. Quebrava a cabeça procurando uma solução para aquele problema insolúvel. Minha situação resumia-se a uma só palavra: perdido!

Sim! Perdido a uma profundidade que me parecia incomensurável! O peso dos cento e cinquenta quilômetros de crosta terrestre nos ombros era terrível. Sentia-me esmagado.

Voltei meus pensamentos às coisas cotidianas, o que consegui com enorme dificuldade. Hamburgo, a casa da Königstrasse, minha pobre Grauben, todo aquele mundo sob o qual eu estava perdido passou rapidamente pela minha memória sobressaltada. Numa vívida alucinação, revi os incidentes da viagem, a travessia, a Islândia, o Sr. Fridriksson, o Sneffels. Disse a mim mesmo que, se conservasse na minha situação qualquer sombra de esperança, seria sinal de loucura, e que era melhor ficar desesperado!

Que poder humano poderia levar-me de volta à superfície do globo e desconjuntar as enormes abóbadas que se escoravam sobre minha cabeça?

Quem conseguiria recolocar-me no caminho certo e fazer com que eu voltasse para junto de meus companheiros?

– Ah, meu tio! – gritei com desespero.

Foi a única palavra de censura que me veio aos lábios, pois compreendi quanto aquele homem também infeliz deveria estar sofrendo à minha procura.

Ao me ver sem qualquer possibilidade de auxílio humano, incapaz de tentar algo para me salvar, pensei no auxílio do céu. As lembranças de minha infância, de minha mãe, que só conheci quando era muito pequeno, voltaram-me à mente. Recorri à oração, embora tivesse pouco direito de ser ouvido por Deus, ao qual me dirigia tão tarde, e implorei com fervor. O recurso à providência acalmou-me um pouco, e consegui concentrar todas as forças da inteligência em minha situação. Tinha víveres para três dias, e meu cantil estava cheio. No entanto, não podia ficar sozinho por mais tempo do que isso.

– Deveria subir ou descer?

– É claro que subir! Sempre!

Deveria chegar ao ponto em que havia abandonado a nascente, na bifurcação funesta. Ali, com o riacho a meus pés, sempre poderia subir ao topo do Sneffels. Como não pensara nisso antes! Era minha chance de salvação! O mais importante era, portanto, reencontrar o curso do Hans Bach. Levantei-me e, sustentando-me no bastão de ferro, subi pela galeria. Era uma vertente bastante íngreme. Caminhava cheio de esperança e sem maiores problemas, como um homem que não tem de optar por um caminho.

Por cerca de meia hora, não fui detido por qualquer obstáculo. Tentava reconhecer o caminho pela forma do túnel, pelas saliências de certas rochas, pela disposição das cavidades. Mas nenhum sinal particular chamou minha atenção, e logo tornou-se evidente que aquela galeria não me conduziria à bifurcação. Não tinha saída. Dei com uma parede impenetrável e caí na pedra.

Um desespero indescritível e pavor tomaram conta de mim. Estava aniquilado. Minha última esperança havia acabado de romper-se naquela muralha de granito. Não tinha como tentar uma fuga impossível naquele labirinto cujas sinuosidades se cruzavam em todos os sentidos! Deveria enfrentar a pior de todas as mortes! E, coisa estranha, pensei que, se um dia meu corpo fossilizado fosse encontrado a cento e cinquenta quilômetros nas entranhas da terra, o fato levantaria seríssimas questões científicas. Quis falar em voz alta, mas apenas tons roucos atravessaram meus lábios ressecados. Eu ofegava. Além de todas essas angústias, fui possuído por um outro terror. Minha lanterna estragou ao cair. Não havia qualquer meio de consertá-la. Sua luz estava se apagando e iria me faltar!

A corrente luminosa estava diminuindo na serpentina do aparelho. Uma procissão de sombras moventes desenrolou-se nas paredes obscurecidas. Nem ousava mais abaixar as pálpebras de medo de perder o menor átomo daquela claridade fugidia!

A todo instante achava que iria apagar-se e que o "negro" me invadiria. Finalmente, um último clarão tremulou na lanterna. Acompanhei-o, aspirei-o com o olhar. Concentrei nele todo o poder de meus olhos, como na última sensação de luz que lhes fosse concedido sentir, e submergi em trevas profundas. Como gritei!

Na superfície, nas noites mais escuras, nunca a luz desaparece completamente! É difusa, é sutil, mas por menos luz que reste, a retina do olho acaba conseguindo vê-la! Aqui, nada! A total escuridão transformava-me num cego em todos os sentidos do termo. Então perdi a cabeça. Ergui-me, os braços à minha frente, tentando apalpadelas das mais dolorosas. Comecei a fugir, precipitando-me pelo inextrincável labirinto, sempre descendo, correndo pela crosta terrestre como um habitante das falhas subterrâneas, chamando, gritando, urrando, logo machucado pelas saliências das rochas, caindo e erguendo-me ensanguentado, tentando beber o sangue que inundava meu rosto e sempre esperando que aparecesse uma muralha para arrebentar minha cabeça.

Para onde me levava aquela corrida insana? Continuava sem saber. Depois de várias horas, sem dúvida quase sem forças, caí como uma massa inerte ao longo da parede e perdi qualquer sentimento de vida!

Capítulo 28

Quando voltei a mim, meu rosto estava molhado, mas molhado de lágrimas. Não sei dizer por quanto tempo fiquei desmaiado. Não tinha mais qualquer meio de ter noção do tempo.

Nunca houve solidão tão grande quanto a minha, nunca um abandono tão completo!

Tinha perdido muito sangue com a minha queda. Sentia-me encharcado! Ah, como lamentava não estar morto e ainda ter tempo pela frente! Não queria mais pensar. Afugentava qualquer ideia e, vencido pela dor, rolei para a parede oposta. Parecia que iria desmaiar novamente, ou talvez até morrer, quando um barulho violento me chamou a atenção. Parecia o estrondo prolongado de um trovão, e ouvi as ondas sonoras perdendo-se pouco a pouco nas longínquas profundezas do abismo.

De onde vinha o barulho? Sem dúvida de algum fenômeno no centro do maciço terrestre! A explosão de um gás ou de alguma poderosa base do globo. Continuei prestando atenção. Queria saber se o ruído se repetiria. Passaram-se quinze minutos. O silêncio reinava na galeria. Nem ouvia mais as batidas de meu coração. De repente, meu ouvido, colado à muralha por acaso, acreditou ter surpreendido palavras vagas. Inatingíveis, distantes. Estremeci. "É uma alucinação", pensei.

Mas não. Prestando mais atenção, ouvi realmente um murmúrio de vozes. Minha fraqueza, porém, não permitiu que eu entendesse o que diziam. Contudo, havia gente falando, tinha certeza disso.

Por um momento, temi que aquelas palavras fossem apenas eco de minha própria voz. Talvez eu tivesse gritado inconscientemente. Comprimi os lábios e colei novamente o ouvido à parede. Sim, havia realmente gente falando!

Arrastando-me alguns metros ao longo da muralha, ouvi claramente. Consegui até captar algumas palavras incertas, estranhas, incompreensíveis. Chegavam a mim como se estivessem sendo pronunciadas em voz baixa, de certa forma, murmuradas. O termo *forlorcid* foi repetido várias vezes num tom de dor. O que significava? Quem o pronunciava? É claro que meu tio ou Hans. Ora, se eu os ouvia, eles conseguiriam ouvir-me!

– Socorro! – gritei com toda a força. – Socorro!

Prestei toda a atenção, espreitei uma resposta, um grito, um suspiro na escuridão. Nada. Passaram-se alguns minutos. Minha cabeça fervilhava de ideias. Achei que a minha voz esmaecida não conseguia alcançar meus companheiros. "Só podem ser eles!", repetia. "Não deve haver outros homens cento e cinquenta quilômetros abaixo da superfície da terra".

Voltei a prestar atenção. Escorregando meu ouvido pela parede, encontrei um ponto matemático onde as vozes pareciam atingir o máximo de intensidade. Mais uma vez, ouvi o termo *forlorcid*; depois aquele ribombar que me arrancara do torpor.

– Não – disse. – Não estou ouvindo essas vozes pelo maciço.

A parede é de granito e nem a maior detonação conseguiria atravessá-la. O barulho vem pela própria galeria! Deve haver algum efeito acústico bastante singular! Tentei escutar novamente e dessa vez, sim, ouvi claramente meu nome percorrer o espaço.

Era meu tio quem o pronunciava! Conversava com o guia, e a palavra *forlorcid* era uma palavra dinamarquesa! Então, entendi tudo. Para que me escutassem, eu deveria falar ao longo daquela muralha, que serviria para conduzir minha voz como o fio conduz a eletricidade. Não podia perder tempo. Bastava que meus companheiros se afastassem um pouco para que o fenômeno de acústica fosse destruído. Então aproximei-me da muralha e pronunciei da forma mais clara possível o seguinte:

– Meu tio Lidenbrock!

Esperei na maior ansiedade. O som não era extremamente rápido ali. A densidade das camadas de ar não aumentava sua velocidade, só aumentava sua intensidade. Alguns segundos, séculos, passaram-se antes que estas palavras chegassem a mim:

– Axel! Axel! É você?

– Sim, sim! – respondi.

– Meu filho, onde está você?

– Perdido na maior escuridão.

– Mas, e a sua lanterna?

– Apagou.

– E o riacho?

– Desapareceu.

– Coragem, meu pobre Axel, coragem!

– Espere um pouco, estou exausto! Não tenho mais forças para responder! Mas fale comigo!

– Coragem! – insistiu meu tio. – Não fale, escute-me.

– Procuramos por você subindo e descendo a galeria. Impossível encontrá-lo. Ah! Chorei muito por você, meu filho! Finalmente, achando que estava no curso do Hans Bach tornamos a descer dando tiros. Agora, apesar de nossas vozes poderem encontrar-se, não podemos tocar-nos. Mas não se desespere, Axel! Já é alguma coisa podermos nos ouvir!

Enquanto isso, eu refletira. Voltava a sentir uma certa esperança, ainda vaga. Em primeiro lugar, fazia questão de saber uma coisa. Aproximei meus lábios da muralha e disse:

– Tio?

– Sim, filho! – responderam-me pouco depois.

– Antes de mais nada, temos de saber a distância que nos separa.

– Isso é fácil.

– O senhor está com o cronômetro?

– Sim.

– Muito bem. Pronuncie meu nome e marque com precisão o momento em que o disse. Vou repetir assim que me alcançar, e o senhor também deverá observar o momento em que minha resposta chegar.

– Assim, a metade do tempo entre minha pergunta e sua resposta indicará o tempo que a minha voz leva para chegar a você.

– Exatamente, meu tio.

– Está pronto?

– Sim.

– Muito bem, preste atenção, vou pronunciar seu nome.

Colei meu ouvido à parede e, assim que a palavra "Axel" chegou a mim, respondi imediatamente "Axel" e aguardei.

– Quarenta segundos – disse então meu tio. – Quarenta segundos entre as duas palavras; portanto, o som leva vinte segundos para subir. Ora, a 310 metros por segundo, dá seis mil e duzentos metros,

– Seis mil e duzentos metros! – murmurei.

– Ora, é fácil transpor essa distância!

– Mas devo subir ou descer?

– Descer, e pelo seguinte motivo. Chegamos a um espaço amplo, onde desembocam muitas galerias. Aquela em que você entrou não pode deixar de dar aqui, pois parece que todas essas fendas, essas fraturas do globo dispersam-se da imensa caverna em que estamos. Levante-se e comece a andar! Caminhe, arraste-se, se preciso, escorregue pelas vertentes e com certeza encontrará nossos braços abertos para recebê-lo ao final do caminho. Em frente, meu filho, em frente!

Essas palavras me animaram.

– Adeus, meu tio – exclamei. – Estou indo. Assim que eu deixar este lugar, nossas vozes não poderão entrar mais em contato! Adeus, então!

– Até logo, Axel, até logo!

Foram as últimas palavras que ouvi. A surpreendente conversa através da massa terrestre, a mais de uma légua de distância, terminou com essas palavras de esperança. Rezei para agradecer a Deus por ter me conduzido talvez ao único ponto onde a voz de meus companheiros podia me alcançar naquelas imensidões escuras.

O fabuloso efeito acústico era facilmente explicável pelas leis da física. Provinha da forma do corredor e da condutibilidade da rocha. Há muitos exemplos dessa propagação de sons não perceptíveis nos espaços intermediários. Lembro-me de que o fenômeno foi observado em vários lugares, entre outros, na galeria interna da cúpula de Saint Paul's em Londres, e principalmente naquelas curiosas cavernas da Sicília, aquelas cavernas localizadas perto de Siracusa, a mais maravilhosa do gênero, conhecida pelo nome de Orelha de Dionísio.

Lembrei-me de tudo isso e percebi com clareza que, se a voz do meu tio chegava até mim, é porque não havia qualquer obstáculo entre nós. Seguindo o caminho do som, chegaria a ele, se as forças não me faltassem.

Levantei-me. Mais me arrastava do que caminhava. A inclinação era bastante íngreme. Deixei-me escorregar.

Em seguida, a velocidade de minha descida aumentou numa proporção assustadora e ameaçou transformar-se numa queda. Não tinha mais forças para refreá-la. De repente, o solo fugiu sob meus pés. Senti que rolava e batia nas asperezas da galeria vertical, um verdadeiro poço. Minha cabeça deu com uma pedra pontiaguda, e perdi os sentidos.

Capítulo 29

Quando voltei a mim, estava deitado em espessos cobertores na penumbra. Meu tio vigiava, atento a um resto de vida em meu rosto. Ao primeiro suspiro, pegou minha mão e quando abri os olhos, deu um grito de alegria.

– Está vivo! Está vivo! – gritou.

– Sim – respondi com voz fraca.

– Meu filho – disse meu tio, apertando-me contra o peito – você está salvo!

Fiquei emocionado com o tom daquelas palavras e mais ainda com os cuidados com que me cercou. Para o professor, tal efusão só poderia ser provocada por grande provação.

Naquele momento, chegou Hans. Viu minha mão na de meu tio; ouso afirmar que seus olhos exprimiram uma viva alegria.

– *God dag* – disse.

– Bom dia, Hans, bom dia – murmurei. – E agora, tio, diga-me onde estamos neste momento.

– Amanhã, Axel, amanhã. Hoje você ainda está muito fraco; não é bom se mexer por causa das compressas que coloquei em sua cabeça; durma, meu filho, e amanhã prometo contar-lhe tudo.
– Mas ao menos – insisti –, diga-me o dia e a hora.
– São onze horas da noite de domingo, 9 de agosto, e eu o proíbo de fazer perguntas até o dia dez do presente mês.

Eu estava realmente muito fraco, e meus olhos fecharam-se involuntariamente. Precisava de uma noite de descanso. Deixei-me levar pelo torpor pensando que o meu isolamento havia durado quatro longos dias.

Ao acordar no dia seguinte, olhei ao meu redor. Meu leito, feito com todos os cobertores da viagem, foi instalado numa gruta encantadora, enfeitada de magníficas estalagmites, o solo recoberto de areia fina. Nela reinava a penumbra. Não havia qualquer tocha ou lanterna acesa, mas alguns clarões inexplicáveis iluminavam-na de fora por uma abertura estreita. Ouvi também um murmúrio vago e indefinido, semelhante ao gemido das ondas que se quebram na praia, e às vezes o assobio da brisa.

Perguntava-me se estava bem acordado, se ainda estava sonhando, se meu cérebro, rachado na queda, não estaria ouvindo sons imaginários. Mas nem meus olhos nem meus ouvidos poderiam enganar-se a esse ponto. Pensei:

– É um clarão do dia, esgueirando-se pela fenda das rochas! São murmúrios de ondas! A brisa está soprando! Será que me engano ou voltamos à superfície da terra? Será que meu tio renunciou à expedição ou a concluiu com sucesso?

Fazia todas essas perguntas irrespondíveis para mim mesmo quando o professor entrou.

– Bom dia, Axel! – saudou alegremente. – Aposto que você está se sentindo bem.
– Estou muito bem! – disse, erguendo-me nas cobertas.
– Tinha certeza de que sim, pois você dormiu com muita tranquilidade. Eu e Hans nos revezamos para cuidar de você e notamos que estava melhorando aos poucos.
– De fato, sinto-me recuperado e, para provar, honrarei o desjejum que vocês não deixarão de me oferecer!
– Você vai comer, filho! Você não tem mais febre. Hans esfregou seus ferimentos com um unguento secreto islandês, que não sei do que é feito, e eles cicatrizaram maravilhosamente. Nosso caçador é um homem e tanto!

Enquanto falava, meu tio preparava alguns alimentos, que eu devorava apesar de suas recomendações. E, comendo, atordoava-o com perguntas que ele se apressou em responder.

Soube então que minha queda providencial me levou à extremidade de uma galeria quase perpendicular. Como chegara junto com uma torrente de pedras, entre as quais a menor bastava para esmagar-me, a conclusão era de que uma parte do

maciço escorregara comigo. Aquele aterrorizante veículo me levou até os braços de meu tio, onde caí, ensanguentado, desmaiado.

– Realmente – disse-me – é surpreendente que você não tenha morrido mil vezes. Mas por Deus, não nos separemos mais, pois nos arriscamos a nunca mais nos encontrarmos.

"Não nos separemos mais!" Então a viagem não terminara?

Arregalei os olhos, surpreso, o que provocou imediatamente a pergunta:

– O que há com você, Axel?

– Tenho de fazer-lhe uma pergunta. O senhor está dizendo que eu estou são e salvo?

– Com certeza.

– Todos os meus membros intactos?

– Exatamente.

– E minha cabeça?

– Exceto por algumas contusões, ela continua exatamente em seu lugar, sobre os ombros.

– Bem, temo que a minha razão não esteja em forma.

– Fora de forma?

– Sim, não voltamos à superfície do globo?

– Claro que não!

– Então, devo estar mesmo louco, pois estou vendo a luz do dia e ouvindo o ruído do vento que sopra e do mar que se quebra.

– Ah, é isso?

– Daria para o senhor me explicar do que se trata?

– Não dá para lhe explicar, pois é inexplicável. Mas você verá e compreenderá que a ciência geológica ainda não deu sua última palavra.

– Vamos sair, então – exclamei, levantando-me bruscamente.

– Não, Axel, não, o ar livre pode lhe fazer mal.

– O ar livre?

– O vento está muito forte. Não quero que se exponha dessa forma.

– Mas garanto que estou ótimo.

– Um pouco de paciência, meu filho. Uma recaída pode causar transtornos para nós, e não devemos perder tempo, pois a travessia pode ser longa.

– Travessia?

– Sim, descanse por hoje. Vamos embarcar amanhã.

– Embarcar?

Essa palavra causou maior confusão em minha mente. O quê? Embarcar? Então tínhamos um rio, um lago, um mar à nossa disposição? Havia uma embarcação em algum porto interior? Minha curiosidade chegou ao auge. Meu tio tentou inutilmente conter-me. Quando viu que minha impaciência me faria mais mal do que a satisfação dos meus desejos, cedeu. Vesti-me prontamente. Para o cúmulo da precaução, enrolei-me num dos cobertores e saí da gruta.

Capítulo 30

A princípio, nada vi. Meus olhos, desacostumados com a luz, fecharam-se bruscamente. Quando consegui reabri-los, fiquei mais estupefato do que maravilhado.

– O mar! – gritei.

– Sim – respondeu meu tio –, o mar Lidenbrock, e agrada-me acreditar que não disputarei com nenhum outro navegador a honra de tê-lo descoberto e o direito de dar-lhe meu nome.

Um imenso lençol de água, o começo de um lago ou de um oceano, estendia-se para além dos limites da visão. Amplamente chanfradas, as margens ofereciam às últimas ondulações das ondas, uma areia fina, dourada, semeada de conchinhas, em que viveram os primeiros seres da criação. As ondas quebravam-se com aquele murmúrio sonoro típico dos meios fechados e imensos. Uma leve espuma esvoaçava com o sopro de um vento moderado, e alguns respingos alcançavam meu o rosto. Naquela praia levemente inclinada vinham morrer os contrafortes de enormes rochedos, que se erguiam abrindo-se a uma altura incomensurável. Alguns, rasgando a margem com sua aresta aguda, formavam cabos e promontórios roídos pela ressaca. Mais além, sua massa formava um perfil claramente desenhado sobre o fundo nebuloso do horizonte.

Era um verdadeiro oceano, com o contorno caprichoso das costas terrestres, mas deserto e de aspecto terrivelmente selvagem. Se meus olhos podiam acompanhar aquele vasto mar até bem longe, era porque uma luz especial iluminava seus menores detalhes. Não a luz do sol com seus feixes resplandecentes e a esplêndida irradiação de seus raios, nem o clarão pálido e vago do astro das noites, que não passa de um reflexo sem calor. Não. O poder de iluminação dessa luz, a difusão bruxuleante, a brancura clara e seca, a temperatura pouco elevada, seu brilho, na realidade superior ao da lua, acusavam com clareza uma origem elétrica. Aquela caverna capaz de conter um oceano era preenchida como por uma aurora boreal ou um fenômeno cósmico contínuo.

A abóbada suspensa acima de minha cabeça, o céu, de certa forma, parecia constituído de grandes nuvens, vapores móveis que, sob o efeito da condensação, deviam, em certos dias, resolver-se em chuvas torrenciais. Eu tenderia a acreditar que sob tão forte pressão da atmosfera a evaporação da água era impraticável, e, no entanto, por um motivo físico que não sabia explicar havia grandes aglomerações de nuvens no ar.

Naquele momento, o tempo estava bom. As camadas elétricas produziam surpreendentes jogos de luz em nuvens muito altas. Sombras vivas desenhavam-se em suas volutas inferiores, e, com frequência, um raio esgueirava-se até nós com uma intensidade notável entre duas camadas separadas. Porém, em suma, não era o sol, pois não havia calor junto à luz. O efeito era triste, soberanamente melancólico. Em vez de um firmamento resplandecente de estrelas, sentia sobre aquelas nuvens uma abóbada de granito que me esmagava com todo o seu peso, e aquele espaço não bastaria, por mais imenso que fosse, ao passeio do satélite menos ambicioso. Lembrei-me então da teoria de um capitão inglês que comparava a Terra a uma ampla esfera oca, no interior da qual o ar se mantinha luminoso em decorrência de sua pressão, enquanto dois astros, Plutão e Proserpina, nele traçavam suas órbitas misteriosas. Teria razão?

Na verdade, estávamos aprisionados numa enorme escavação. Não era possível avaliar sua largura, já que as margens se abriam a perder de vista, nem seu comprimento, pois o olhar era logo detido por uma linha de horizonte um tanto indecisa. A altura podia ultrapassar muitos quilômetros. Não dava para ver onde aquela abóbada se apoiava nos contrafortes de granito; mas havia um grande aglomerado de nuvens suspenso na atmosfera, cuja elevação podia ser estimada em quatro mil metros, altitude superior à dos vapores terrestres, sem dúvida devido à densidade considerável do ar. É claro que o termo caverna não descreve exatamente aquele ambiente imenso. Nenhuma palavra da língua humana é suficiente para quem se aventura nos abismos do globo.

Além disso, não sabia por qual fato geológico explicar a existência de tal escavação. Será que havia sido produzida pelo resfriamento do globo? Conhecia bem algumas cavernas célebres por relatos de viajantes, mas nenhuma apresentava tais dimensões.

Se a gruta de Guachara, na Colômbia, visitada por Humboldt, não revelou o segredo de sua profundidade ao sábio, que a percorreu por uma extensão de setecentos e sessenta metros, é provável que ela não se prolongasse muito mais que isso.

A imensa caverna de Mammouth, no Kentucky, tinha realmente proporções gigantescas, pois sua abóbada erguia-se cento e cinquenta metros acima de um lago insondável, e muitos viajantes percorreram-na por cinquenta quilômetros sem chegar a seus limites. Mas o que eram aquelas cavidades perto da que eu admirava então, com seu céu de vapores, suas irradiações elétricas e um vasto mar encerrado em seus flancos? Minha imaginação sentia-se impotente diante daquela imensidão. Contemplava em silêncio todas aquelas maravilhas. Faltavam-me palavras para transmitir minhas sensações. Acreditava estar assistindo em algum planeta longínquo, Urano ou Netuno, a fenômenos dos quais minha natureza terrestre não tinha consciência. Seriam necessárias palavras novas para novas sensações, mas minha imaginação não era capaz de fornecê-las. Olhava, pensava, admirava com um estupor misturado a uma certa dose de medo.

A natureza inédita daquele espetáculo devolveu as cores da saúde ao meu rosto; estava sendo submetido a um tratamento de surpresa e curado por uma nova terapêutica. Além disso, a vivacidade de um ar muito denso reanimava-me, fornecendo mais oxigênio a meus pulmões.

Não é difícil imaginar que, após um aprisionamento de quarenta e sete dias numa galeria estreita, era um prazer imenso aspirar aquela brisa carregada de úmidas emanações salinas.

Não tinha por que me arrepender de ter abandonado minha gruta obscura. Meu tio, já acostumado àquelas maravilhas, não se surpreendia mais.

– Você sente que tem forças para passear um pouco? – perguntou.

– Claro, nada mais agradável – respondi.

– Então pegue no meu braço e sigamos as sinuosidades da costa, Axel.

Aceitei na hora e começamos a caminhar pelas margens daquele novo oceano. À esquerda, rochedos abruptos, uns sobre os outros, formavam um amontoado colossal de efeito prodigioso. De seus flancos desciam inúmeras cascatas que formavam lençóis límpidos e retumbantes.

Saltando de uma rocha para outra, alguns vapores leves assinalavam o local de fontes quentes, e riachos corriam suavemente em direção à bacia comum, procurando, nas vertentes, a ocasião de murmurar de forma mais agradável. Dentre os riachos, reconheci nosso fiel companheiro de viagem, Hans Bach, que tinha acabado de se perder tranquilamente no mar, como se nunca tivesse feito outra coisa desde o começo do mundo.

– Sentiremos saudades dele! – suspirei.

– Bah! – respondeu o professor. – Tanto faz ele como outro!

Achei sua réplica um tanto ingrata. Naquele momento, contudo, um espetáculo inesperado chamou minha atenção. A quinhentos passos, num meandro de um promontório elevado, apareceu uma floresta alta, cerrada e densa.

Era formada por árvores de tamanho médio, semelhantes a guarda-chuvas regulares, contornos claros e geométricos; as correntes atmosféricas pareciam não provocar qualquer efeito em sua folhagem, que, em meio aos sopros, permanecia imóvel como um maciço de cedros petrificados. Apressei o passo, não conseguia encontrar um nome para aquelas essências singulares. Não se situavam entre as duzentas mil espécies vegetais conhecidas até então. Seria preciso atribuir-lhes um lugar especial na flora das vegetações lacustres? Não. Quando chegamos à sua sombra, minha surpresa não foi maior do que minha admiração. Estava diante de produtos iguais aos da superfície terrestre, mas de tamanho gigantesco. Meu tio logo chamou-os pelo seu nome.

– Não passa de uma floresta de cogumelos – disse.

Ele acertou. Imaginem o desenvolvimento dessas plantas típicas de ambientes quentes e úmidos. Sabia que o *lycoperdon giganteum* atinge, segundo Bulliard, quase trezentos metros de circunferência; aqui, porém, tratava-se de cogumelos brancos de nove a doze metros de altura, com uma cúpula de diâmetro igual. Havia milhares deles. A luz não conseguia varar sua sombra espessa, e a mais completa escuridão reinava sob aqueles domos justapostos como os tetos redondos de uma aldeia africana. Quis prosseguir. Um frio mortal descia daquelas abóbadas carnudas. Erramos por cerca de meia hora entre aquelas trevas úmidas, e foi com um verdadeiro sentimento de bem-estar que voltei à beira do mar.

A vegetação daquela região subterrânea não se limitava àqueles cogumelos. Mais adiante, erguiam-se em grupos um grande número de outras árvores de folhagem

descolorida. Eram fáceis de reconhecer: não passavam de humildes arbustos de dimensões fenomenais, licopódios de trinta metros de altura, sigilariáceas gigantes, fetos arborescentes, altos como os pinheiros das grandes latitudes, lepidodendráceas com ramos cilíndricos bifurcados, arrematadas por folhas longas e eriçadas, de pelos ásperos, como monstruosas plantas de folhas espessas e carnudas.

– Surpreendente, magnífico, esplêndido! – exclamou meu tio. – Eis toda a flora do segundo período do mundo, a época da transição. Eis as humildes plantas de nossos jardins, que eram árvores nos primeiros séculos do mundo! Olhe, Axel, admire!

Nunca um botânico esteve diante de tamanha festa.

– O senhor tem razão, meu tio. Parece que esta estufa imensa conservou as plantas antediluvianas.

– Você está certo, filho, é uma estufa; mas seria ainda melhor se acrescentasse que talvez se trate de um museu de plantas raras.

– Plantas raras!

– Com certeza. Veja essa poeira que pisamos, as ossadas espalhadas pelo chão.

– Ossadas! – exclamei. – Claro, ossadas de animais antediluvianos!

Precipitara-me para aqueles restos seculares feitos de uma substância mineral indestrutível. Denominei sem hesitar aqueles ossos gigantescos que pareciam troncos de árvore ressecados.

– Olhe o maxilar inferior do mastodonte – eu disse. – Os molares do dinotério, um fêmur que só pode ter pertencido ao maior de todos esses animais: o megatério. Ora, é exatamente um museu de peças raras, pois essas ossadas com certeza não foram transportadas até aqui por um cataclismo. Os animais aos quais pertencem viveram às margens deste mar subterrâneo, à sombra destas plantas arborescentes. Veja só, há esqueletos completos. E, no entanto...

– No entanto? – disse meu tio.

– Não entendo a presença desses quadrúpedes nesta caverna de granito.
– Por quê?

– Porque a vida animal só começou a existir na Terra na era secundária, quando o terreno sedimentar foi formado pelos aluviões e substituiu as rochas incandescentes da era primária.

– É bem fácil esclarecer a sua dúvida, Axel, este terreno aqui é sedimentar.

– Como! A essa profundidade da superfície da terra!

– É possível explicar o fato geologicamente. Em um determinado período, a Terra era formada apenas por uma crosta elástica, sujeita a movimentos alternados de cima para baixo em virtude das leis de atração. Provavelmente ocorreram desmoronamentos do solo, sendo que uma parte dos terrenos sedimentares foi arrastada para o fundo dos abismos que se abriram de repente.

– Deve ser isso mesmo. Mas, se essas regiões subterrâneas foram habitadas por animais antediluvianos, quem nos garante que um desses monstros não está errando ainda por estas florestas escuras ou atrás destas rochas escarpadas?

Esquadrinhei, não sem temor, os vários pontos do horizonte; mas não havia qualquer ser vivo naquelas costas desertas.

Estava um pouco cansado. Fui sentar-me então na ponta de um promontório, sob o qual as ondas se quebravam ruidosamente. Dali, meus olhos abraçavam toda aquela baía formada por uma chanfradura da costa. Ao fundo, um portinho abrigado por duas rochas piramidais. Suas águas calmas dormiam, protegidas do vento. Caberiam ali duas ou três escunas. Quase esperava avistar algum navio desfraldando suas velas e alcançando o largo sob a brisa do sul.

Aquela ilusão dissipou-se com rapidez. Éramos realmente as únicas criaturas vivas naquele mundo subterrâneo. Às vezes, quando o vento se acalmava, descia um silêncio mais profundo que o silêncio do deserto sobre as rochas áridas que pesavam na superfície do oceano. Tentava então varar as brumas distantes, rasgar a cortina do fundo misterioso do horizonte. Quais as perguntas que me subiam aos lábios? Onde terminava aquele mar?

Para onde levava? Será que um dia abordaríamos as margens opostas? Meu tio não tinha a menor dúvida a esse respeito. Eu desejava e ao mesmo tempo temia isso. Após uma hora de contemplação do maravilhoso espetáculo, tornamos ao caminho da praia para voltar à gruta.

Adormeci profundamente sob o domínio dos pensamentos mais estranhos.

Capítulo 31

Acordei no dia seguinte me sentindo muito bem. Achei que seria saudável tomar um banho de mar, e fui mergulhar nas águas daquele Mediterrâneo. Não havia dúvidas de que merecia esse nome. Voltei para o café da manhã com muita fome. Hans cozinhava nosso pequeno cardápio; como tinha água e fogo à sua disposição, pôde variar um pouco o menu normal. Ao final da refeição, serviu-nos café, e nunca tomei essa deliciosa bebida com tanto prazer.

– Agora, não devemos deixar de estudar o fenômeno da maré – disse meu tio.

– Maré?! – surpreendi-me.

– É claro!

– A influência da Lua e do Sol são sentidas até aqui?

– Por que não? Os corpos não estão sujeitos em seu conjunto à atração universal? Essa massa de água não pode fugir à regra geral. Assim, apesar da pressão atmosférica em sua superfície, você vai ver como ela se ergue como o próprio Atlântico.

Naquele momento, vagávamos pela areia das margens, e as ondas avançavam gradualmente pela praia.

– A maré está subindo – gritei.

– Sim, Axel, e após a etapa da espuma, você verá que o mar vai se erguer cerca de três metros.

– É fantástico!

– Não, é natural.

– Pode dizer o que quiser, meu tio, tudo isso parece-me extraordinário e mal consigo acreditar no que estou vendo. Quem poderia imaginar que existisse um verdadeiro oceano nessa crosta terrestre, com seus fluxos e refluxos, suas brisas e tempestades?

– Por que não? Existe alguma razão física que o impeça?

– Não consigo imaginar, já que tenho de deixar de lado o sistema do calor central.

– Então, até agora a teoria de Humphry Davy está justificada?

– É claro, nada contradiz a existência de mares ou terras no interior do globo.

– Sem dúvida, mas desabitados.

– Bem, por que essas águas não dariam abrigo a peixes de espécies desconhecidas?

– Não vimos nenhum até agora.

– Podemos fabricar linhas e ver se o anzol teria tanto sucesso aqui quanto nos oceanos sublunares.

– Tentaremos, Axel, pois temos de penetrar em todos os segredos dessas novas regiões.

– Mas onde estamos, tio? Ainda não fiz a pergunta que seus instrumentos devem ter respondido.

– Horizontalmente, a mil e quatrocentos e quinze quilômetros da Islândia.

– Tudo isso?

– Tenho certeza de que não me enganei em mais do que um quilômetro e meio.

– E a bússola continua indicando o sudeste?

– Sim, com uma declinação ocidental de dezenove graus e quarenta e dois minutos, exatamente como na terra. Por sua inclinação, acontece um fato curioso que observei com o maior cuidado.

– Qual?

– É que, em vez de inclinar-se para o polo como no hemisfério boreal, a agulha ergue-se.

– Devemos então concluir que o ponto de atração magnético está situado entre a superfície do globo e o local onde chegamos?

– Exatamente, e é provável que, se chegarmos às regiões polares, próximo do grau setenta, onde James Ross descobriu o polo magnético, vejamos a agulha erguer-se na vertical. Logo, esse misterioso centro de atração não está situado a grande profundidade.

– De fato, e a ciência mal suspeita disso.

– A ciência, meu rapaz, é feita de erros, mas de erros que é bom cometer, pois levam, pouco a pouco, à verdade.

– E a que profundidade estamos?

– Cento e setenta quilômetros.

– Assim – disse, considerando o mapa –, a parte montanhosa da Escócia está acima de nós, e ali os montes Grampians mostram, a uma altura prodigiosa, seus cimos cobertos de neve.

– Sim – respondeu o professor, rindo. – É um pouco pesado para carregar, mas a abóbada é sólida. O grande arquiteto do universo construiu-a com um bom material; o homem nunca seria capaz de executá-la! O que são os arcos, as pontes e as abóbadas das catedrais perto dessa nave de quinze quilômetros, sob a qual se desenvolvem à vontade um oceano e suas tempestades?

– Oh, não tenho medo de que o céu nos caia sobre a cabeça. Agora, meu tio, quais são seus planos? O senhor não está pensando em voltar à superfície do globo?

– Voltar? Ora essa! Muito pelo contrário, pretendo continuar a viagem já que tudo correu tão bem até aqui.

– É que não vejo como atravessaremos essa planície líquida.

– Não pretendo mergulhar de cabeça. Mas como os oceanos não passam realmente de lagos, já que são cercados de terra, tenho mais certeza ainda de que esse mar interior encontra-se circunscrito pelo maciço granítico.

– É verdade.

– Então estou certo de encontrar mais saídas nas margens opostas.

– Qual o comprimento que o senhor avalia para esse oceano?

– Cento e cinquenta a duzentos quilômetros.

– Ah! – disse, imaginando quanto essa estimativa poderia ser incorreta.

– Não temos, portanto, tempo a perder, e já amanhã cedo começaremos a navegar. Procurei involuntariamente com os olhos o navio que nos transportaria.

– Ah! Embarcaremos. Muito bem. E em que navio? – perguntei.

– Não será uma embarcação, meu rapaz, mas uma boa jangada sólida.

– Uma jangada! – exclamei. – É tão impossível construir uma jangada quanto um navio, e não consigo imaginar...

– Você não consegue imaginar, Axel, mas se você escutasse seria capaz de ouvir!

– Ouvir?

– Sim, certas marteladas que lhe mostrariam que Hans já está trabalhando.

– Está construindo uma jangada?

– Está.

– Como? Já derrubou árvores com seu machado?

– Ah, as árvores já estavam derrubadas! Vamos vê-lo trabalhar.

Após quinze minutos de caminhada, do outro lado do promontório que formava o portinho natural, vi Hans trabalhando. Mais alguns passos e estava a seu lado. Para minha grande surpresa, uma jangada quase pronta repousava na areia. Era feita de vigas de uma madeira especial, e o chão estava literalmente coberto por um grande número de pranchões, amarras e espirais de todo tipo, que dariam para uma pequena frota.

– Tio – exclamei –, que madeira é essa?

– Vários tipos de pinho, bétula, todas as espécies de coníferas do norte mineralizadas pela ação das águas do mar.

– Será possível?

– É o que chamamos de *surtarbrandur*, ou de madeira fóssil.

– Deve ser dura como pedra. Conseguirá flutuar?

– Às vezes não flutua, principalmente nos casos em que as madeiras se transformaram em verdadeiros antracitos; mas em outros casos, como este, as madeiras só sofreram um início de transformação fóssil. – Olhe – acrescentou meu tio, lançando ao mar um daqueles restos preciosos.

Após ter desaparecido, o pedaço de madeira voltou à superfície e oscilou à mercê das ondulações.

– Está convencido? – perguntou meu tio.

– Estou principalmente convencido de que é incrível!

Graças à sua habilidade, o guia terminou a jangada no dia seguinte à noite; tinha três metros de comprimento por um metro e meio de largura; unidas entre si por fortes cordas, as vigas de surtarbrandur ofereciam uma superfície sólida, e, assim que jogada, a embarcação improvisada flutuou tranquilamente nas águas do mar Lidenbrock.

Capítulo 32

Acordamos cedo no dia 13 de agosto para inaugurar um novo meio de transporte rápido e pouco cansativo. Um mastro feito de dois bastões emparelhados, uma verga formada por um terceiro, uma vela que não passava de um dos nossos cobertores, constituíam a enxárcia da jangada. Não faltavam cordas. O todo era sólido.

Às seis horas o professor deu o sinal de embarque. Os víveres, as bagagens, os instrumentos, as armas e uma boa quantidade de água doce recolhida nos rochedos já estavam na embarcação.

Hans colocou um leme que lhe permitia dirigir seu aparelho flutuante. Assumiu o comando. Desprendi as amarras que nos retinham à margem. A vela foi orientada e largamos com rapidez. No momento em que deixamos o portinho, meu tio, que insistia em sua nomenclatura geográfica, quis dar-lhe um nome, o meu.

– Ah, não – disse -, tenho outro a propor.

– Qual?

– O nome de Grauben. Porto Grauben: ficará muito bem no mapa.

– Muito bem. Porto Grauben.

Eis como a lembrança de minha querida virlandesa foi vinculada à nossa ousada expedição. A brisa soprava de nordeste. Navegávamos de vento em popa com uma extrema rapidez. As camadas muito densas da atmosfera tinham um impulso considerável e agiam sobre a vela como um potente ventilador. Ao final de uma hora, meu tio pôde estimar nossa velocidade com bastante precisão.

– Se continuarmos a navegar com essa velocidade – disse ele -, percorreremos pelo menos cento e cinquenta quilômetros em vinte e quatro horas e não tardaremos a alcançar as margens opostas.

Não respondi e fui sentar-me à proa da jangada. A costa setentrional baixava no horizonte. Os dois braços do litoral abriam-se como para facilitar nossa partida. Um mar imenso estendia-se diante de meus olhos. Imensas nuvens corriam, céleres, pela sua superfície com sua sombra acinzentada, que parecia pesar sobre aquela água morna. Os raios prateados da luz elétrica, refletidos aqui e ali por alguma gotinha, faziam eclodir pontos luminosos na esteira da embarcação. Logo perdemos a terra de vista, todos os pontos de referência desapareceram, e, não fosse o sulco espumante da jangada, eu acharia que estávamos completamente imóveis.

Por volta do meio-dia, algas imensas vieram ondular à superfície da água. Conhecia o poder vegetativo daquelas plantas, que se alastram a uma profundidade de mais de três mil e seiscentos metros no fundo dos mares, reproduzem-se sobre pressões de quatrocentas atmosferas e formam, muitas vezes, bancos grandes o suficiente para entravar a marcha dos navios; mas acho que nunca houve algas tão gigantescas quanto as do mar Lidenbrock.

Nossa jangada passou ao lado de algas do tipo sargaço mil metros de comprimento, serpentes imensas que cresciam a perder de vista. Divertia-me em acompanhar suas fitas infinitas, achando sempre ter alcançado a ponta. Minha paciência e até minha surpresa foram enganadas por horas inteiras. Que força natural aquelas plantas podiam produzir e que aspecto deveria ter a Terra nos primeiros séculos de sua formação, quando, sob a ação do calor e da umidade, apenas o reino vegetal se desenvolvia em sua superfície!

Anoiteceu e, como percebo na véspera, o estado luminoso do ar não sofreu qualquer diminuição. Era um fenômeno constante, com cuja permanência podíamos contar.

Após o jantar, deitei-me ao pé do mastro, e não tardei a adormecer em meio a devaneios indolentes. Imóvel ao leme, Hans deixava a jangada correr; empurrada pelo vento em popa, nem precisava ser dirigida. Assim que partimos de porto Grauben, o professor Lidenbrock encarregou-me de escrever um diário de bordo, de anotar as menores observações, os fenômenos interessantes, a direção do vento, a velocidade, a rota percorrida, em suma, todos os incidentes da estranha navegação. Vou limitar-me, portanto, a reproduzir aqui essas anotações cotidianas, ditadas, por assim dizer, pelos acontecimentos, para fazer um relato mais preciso de nossa travessia.

Sexta-feira, 14 de agosto. – Brisa contínua de noroeste. A jangada navega rapidamente em linha reta. A costa fica cento e cinquenta quilômetros na direção oposta ao vento. Nada no horizonte. A intensidade da luz não varia. Tempo bom, ou seja, as nuvens estão bastante altas, são pouco densas e banhadas por uma atmosfera branca, como a prata em fusão. Termômetro: + 32 graus.

Ao meio-dia, Hans prepara um anzol na ponta de uma corda. Sua isca é um pedacinho de carne, que joga no mar. Durante duas horas, não pega nada. As águas são desabitadas? Não, uma sacudidela. Hans puxa a linha e traz um peixe que se debate com vigor.

– Um peixe! – exclamou meu tio.

– É um esturjão! – gritei por minha vez. – Um esturjão pequeno!

O professor observou atentamente e não concordou com meu palpite. O peixe tem a cabeça chata, arredondada, e a parte anterior do corpo coberta de placas ossudas; não tem dentes; as nadadeiras peitorais, bastante desenvolvidas, estão ajustadas em seu corpo desprovido de cauda. O animal pertence realmente à ordem em que os naturalistas classificaram o esturjão, mas este dele difere por características muito essenciais.

Meu tio não estava enganado, pois, após um rápido exame, disse:

– O peixe pertence a uma família extinta há séculos, cujos traços fósseis são encontrados apenas em terreno devoniano.

– Como então conseguimos pegar vivo um dos habitantes dos mares da era primária? – indaguei.

– Pegamos – responde o professor, continuando suas observações. – Veja que os peixes fósseis não têm qualquer semelhança com as espécies atuais. Ora, agarrar um desses seres vivo é uma verdadeira felicidade para o naturalista.

– Mas a que família pertence?

– À ordem dos ganoides, família dos cefalópodes, gênero...

– Qual?

– Juraria que ao gênero dos pterígios! Mas este tem uma particularidade que, se diz, é encontrada nos peixes de águas subterrâneas.

– Qual?

– É cego!

– Cego!

– Não somente cego, como absolutamente não tem o órgão da visão.

Olho. Nada mais verdadeiro. Mas talvez se trate de um caso especial. Colocamos nova isca e jogamos a linha. Com certeza este oceano é muito piscoso, pois, em duas horas, pegamos uma grande quantidade de pterígios, assim como peixes pertencentes a uma família também extinta, os dipterígios, cujo gênero meu tio, porém, não consegue reconhecer. Nenhum deles tem o órgão da visão. Aquela pescaria inesperada é ótima para completarmos nossas provisões.

Pelo visto, aquele mar só encerra espécies fósseis, onde os peixes e os répteis são ainda mais perfeitos por ser sua criação mais antiga.

Podemos ainda encontrar alguns daqueles sáurios que a ciência soube reconstituir com um pouco de ossos e cartilagens? Tomo a luneta e perscruto o mar. Deserto. Talvez ainda estejamos próximos demais das costas. Olho para cima. Por que alguns daqueles pássaros reconstruídos pelo imortal Cuvier não estariam batendo asas nas pesadas camadas atmosféricas? Os peixes constituiriam uma alimentação mais que suficiente para eles. Observo o espaço, mas os ares estão tão vazios quanto as margens.

Minha imaginação, contudo, transporta-me para as maravilhosas hipóteses da paleontologia. Sonho acordado. Acredito ver na superfície das águas enormes quersitas, tartarugas antediluvianas parecidas com ilhotas flutuantes. Nas praias sombrias passam os grandes mamíferos dos primeiros dias, o Leptotherium, encontrado nas cavernas do Brasil, o Mericotherium, procedente das regiões glaciais da Sibéria. Mais além, o paquiderme Lofiodon, tapir gigantesco, esconde-se atrás das rochas, pronto para disputar sua presa como o Anoplotherium, animal estranho que tem algo do rinoceronte, do cavalo, do hipopótamo e do camelo, como se o criador, apressado demais às primeiras horas do mundo, houvesse reunido vários animais num só. O mastodonte gigante faz sua tromba girar e tritura sob suas presas os rochedos das margens, enquanto o Megatherium, escorado por suas patas enormes, escava a terra provocando com seus rugidos o eco dos granitos sonoros.

Mais acima, o protopiteco, primeiro macaco surgido na superfície do globo, escala os picos íngremes. Ainda mais acima, o pterodáctilo, mão alada, escorrega como um grande morcego no ar comprimido. Finalmente, nas últimas camadas, imensos pássaros, mais fortes que a ema, maiores que o avestruz, desfraldam suas asas enormes e alcançam com a cabeça a parede da abóbada granítica.

Todo esse mundo fóssil renasce na minha imaginação. Remonto às eras bíblicas da criação, muito antes do nascimento do homem, quando a Terra incompleta não lhe bastaria. Meu sonho precede, então, o surgimento dos seres animados. Os mamíferos desaparecem, depois os pássaros, depois os répteis da era secundária e, finalmente, os peixes, os crustáceos, os moluscos e os articulados. Os zoófitos do período de transição retornam, por sua vez, ao nada. Toda a vida da Terra resume-se em mim, e meu coração é o único a bater no mundo desabitado. Não há mais estações, não há mais climas; o calor próprio do globo aumenta incessantemente e neutraliza o do astro radioso.

A vegetação excede-se. Passo como uma sombra entre fetos arborescentes, pisando com passadas incertas as margas irisadas e os grés sarapintados do solo. Apoio-me no tronco de imensas coníferas; deito-me à sombra de esfenófilos, asterófilos e licopódios de trinta metros de altura.

Os séculos passam-se como dias! Remonto à sequência de transformações terrestres. As plantas desaparecem, as rochas graníticas perdem sua pureza, o estado líquido começa a substituir o estado sólido sob a ação de um calor mais intenso; as águas correm na superfície do globo; fervem, volatizam-se; os vapores envolvem a Terra, que pouco a pouco forma apenas uma massa gasosa, vermelho-esbranquiçada, do tamanho do Sol e tão brilhante como ele!

No centro dessa nebulosa, mil e quatrocentas vezes mais considerável que o globo que formará um dia, sou levado pelos espaços planetários! Meu corpo sutiliza-se, sublima-se e mistura-se como um átomo imponderável aos vapores imensos que traçam sua órbita inflamada no infinito!

Que sonho! Para onde me leva? Minha mão febril lança no papel seus detalhes mais estranhos! Esqueci tudo, o professor, o guia, a jangada! Minha mente foi possuída por uma alucinação...

– O que há com você? – perguntou meu tio.

Meus olhos abertos encaram-no sem enxergá-lo.

– Cuidado, Axel, você vai cair no mar.

Ao mesmo tempo, sinto que a mão de Hans me agarra com vigor. Não fosse ele, dominado pelo meu sonho, teria me precipitado nas ondas.

– Será que está ficando louco? – gritou o professor.

– O que houve? – digo finalmente, voltando a mim.

– Você está doente?

– Não! Tive uma alucinação, mas passou. Está tudo bem?

– Sim, boa brisa, ótimo mar! Navegamos rapidamente e, se não me engano, não tardaremos a atracar.

A essas palavras, ergo-me, consulto o horizonte; mas a linha d'água continua confundindo-se com a linha das nuvens.

Capítulo 33

Sábado, 15 de agosto. – O mar conserva sua uniformidade monótona. Nenhuma terra à vista. O horizonte parece excessivamente longe. Minha cabeça ainda está pesada pela violência de meu sonho. Meu tio não sonhou, mas está de mau humor. Perscruta todos os pontos do espaço com sua luneta e cruza os braços com um ar enfadado. Noto que o professor Lidenbrock tende a voltar a ser o homem impaciente do passado, e anoto o fato em meu diário. Foi preciso o perigo dos meus sofrimentos para arrancar-lhe uma faísca de humanidade. Desde minha cura, a natureza voltou a dominar. E, no entanto, por que se exaltar? A viagem não está acontecendo nas circunstâncias mais favoráveis? A jangada não navega com uma rapidez maravilhosa?

– O senhor está preocupado, meu tio? – perguntei, vendo-o levar muitas vezes a luneta ao olho.

– Preocupado, não.

– Então, impaciente?

– Qualquer um ficaria impaciente por bem menos!

– Mas estamos navegando com muita rapidez...

– E daí? Não é a velocidade que é pouca, é o mar que é grande demais! Lembro-me então de que, antes de partirmos, o professor tinha avaliado o comprimento daquele oceano subterrâneo em cento e cinquenta quilômetros. Já havíamos percorrido três vezes essa distância, e as margens do sul ainda não apareciam.

– Não estamos descendo! – comentou o professor. – Tudo isso é tempo perdido, pois, em suma, não vim até tão longe para passear de barco num lago!

Ele chama a travessia de passeio de barco, e o mar de lago!

– Mas – digo – seguimos o caminho indicado por Saknussemm...

– É este o problema. Seguimos o caminho? Será que Saknussemm encontrou esta extensão de água? Será que a atravessou?

O riacho que nos serviu de guia não fez com que nos perdêssemos completamente?

– Em todo caso, não devemos lamentar ter vindo até aqui. O espetáculo é magnífico e...

– Não é o problema de ver. Propus que alcançássemos um objetivo, e quero alcançá-lo! Não fique só falando em admirar!

Calei-me e deixei o professor apertar seus lábios de impaciência. Às seis da tarde, Hans reclamou seu pagamento, e o professor pagou.

Domingo, 16 de agosto. – Nada de novo. Mesmo tempo. Mesmo vento. O vento tende a aumentar. Meu primeiro cuidado ao acordar é constatar a intensidade da luz. Continuo temendo que o fenômeno elétrico escureça e depois se apague. Nada disso acontece. A sombra da jangada desenha-se claramente na superfície das ondas. Realmente o mar é infinito! Deve ter a largura do Mediterrâneo, ou mesmo do Atlântico. Por que não? Meu tio faz várias sondagens. Amarra uma das picaretas mais pesadas à ponta de uma corda, que deixa submergir duzentas braças'. Não há fundo. Temos muita dificuldade em içar nossa sonda. Quando a picareta volta enfim a bordo, Hans mostra-nos marcas bem nítidas em sua superfície. Seria o caso de dizer que o pedaço de ferro esteve imprensado entre dois corpos duros. Olho para o caçador.

– *Tcinder* – disse.

Não entendo. Volto-me para meu tio, inteiramente absorto em suas reflexões. Não acho que vale a pena perturbá-lo. Retorno ao islandês, que, abrindo e fechando a boca várias vezes, consegue fazer com que eu compreenda o que quis dizer.

– Dentes! – digo, estupefato, considerando a barra de ferro com mais atenção. Sim! A marca incrustada no metal é realmente de dentes! Os maxilares a que pertencem devem ter uma força prodigiosa!

Estaria um monstro das espécies perdidas agitando-se sob a camada profunda das águas, mais voraz que um tubarão, mais temível que a baleia? Não consigo desviar os olhos daquela barra meio roída! Meu sonho da noite passada vai tornar-se realidade.

Esses pensamentos agitam-me durante todo o dia, e minha imaginação só se acalma num sono de poucas horas.

Segunda-feira, 17 de agosto. – Tento lembrar-me dos instintos próprios dos animais antediluvianos da era secundária, que, sucedendo os moluscos, os crustáceos e os peixes, precederam o surgimento dos mamíferos no globo. O mundo então pertencia aos répteis, que reinavam, senhores nos mares jurássicos. A natureza atribuíra-lhes uma organização das mais completas. Que estrutura gigantesca! Que força prodigiosa! Os atuais sáurios, os jacarés e os crocodilos, mesmo os maiores e mais temíveis, não passam de reduções enfraquecidas de seus ancestrais das primeiras eras! A evocação de tais monstros provoca-me arrepios. Nenhum ser humano jamais os viu vivos. Apareceram na Terra mil séculos antes do homem, mas suas ossadas fósseis, descobertas naquele calcário argiloso, permitiram que os reconstruísse anatomicamente e se conhecesse sua colossal conformação. Vi no Museu de Hamburgo o esqueleto de um desses sáurios, que media quase dez metros de comprimento. Seria o meu destino, eu, um habitante da Terra, encontrar-me cara a cara com os representantes de uma família antediluviana? Não, impossível. No entanto, a marca dos dentes fortes está gravada na barra de ferro, e, por meio dela, reconheço que os dentes são cônicos como os de um crocodilo. Meus olhos fixam o mar com terror. Temo ver um dos habitantes das cavernas submarinas saltar. Suponho que o professor Lidenbrock compartilha minhas ideias e até meu temor, pois, após ter examinado a picareta, sonda o oceano. E penso:

– Aos diabos, essa sua ideia de sondar!

Deve ter perturbado o descanso de algum animal e ainda poderemos ser atacados no meio do caminho!

Dou uma olhada nas armas, para assegurar-me de que estão em bom estado. Meu tio percebe e aprova-me com um gesto.

Grandes agitações na superfície das ondas indicam o distúrbio de camadas distantes. O perigo aproxima-se. Todo cuidado é pouco.

Terça-feira, 18 de agosto. – Chega a noite, ou melhor, o momento em que o sono pesa sobre as pálpebras, pois não há noite nesse oceano, e a luz implacável cansa obstinadamente nossos olhos, como se navegássemos sob o sol dos mares árticos. Hans está ao leme. Adormeço durante sua guarda. Duas horas depois, sou despertado por um terrível abalo. A jangada foi erguida para além das ondas com uma força indescritível e jogada a uns quarenta metros.

– O que aconteceu? – gritou meu tio. – Abordamos?

Hans aponta uma massa escura que se ergue e abaixa a uma distância de quase duzentos metros. Olho e exclamo:

– É um marsuíno colossal!

– Sim – concorda meu tio –, e eis agora um lagarto do mar de tamanho incomum.

– E mais além um crocodilo monstruoso! Olhe que maxilar imenso e que fileiras de dentes. Ah! Desapareceu!

– Uma baleia! Uma baleia! – gritou o professor. – Estou vendo suas enormes nadadeiras! Veja o ar e a água que esguicha!

A jangada foi erguida para além das ondas. De fato, duas colunas líquidas erguem-se a uma altura imensa acima do nível do mar. Ficamos surpresos, apavorados, estupefatos diante do rebanho de monstros marinhos. Têm dimensões sobrenaturais, e o menor deles seria capaz de partir a jangada com uma dentada. Hans quer mudar de direção para fugir a essa proximidade perigosa; mas do outro lado também vê inimigos não menos perigosos: uma tartaruga de doze metros de largura e uma serpente de trinta metros de comprimento, que espicha sua cabeça enorme acima das ondas.

Impossível fugir. Os répteis aproximam-se; dão voltas em torno da jangada numa velocidade que jamais seria igualada por comboios a toda a velocidade; desenham círculos concêntricos ao seu redor. Peguei minha carabina. Mas que efeito podem ter as balas no corpo daqueles animais cobertos de escamas?

Estamos mudos de medo. Estão aproximando-se! De um lado, o crocodilo, do outro, a serpente. O resto do rebanho marinho desapareceu. Estou prestes a atirar. Hans me detém com um sinal. Os dois monstros passam a cem metros da embarcação e precipitam-se um sobre o outro; sua fúria impediu que nos vissem.

O combate acontece a duzentos metros da jangada. Vemos claramente os dois monstros atracando-se. Mas então parece-me que os outros animais estão chegando para participar da luta, o marsuíno, a baleia, o lagarto, a tartaruga. Entrevejo-os todo o tempo. Mostro-os ao islandês, que balança a cabeça numa negação.

– *Tva* – disse.

– O quê? Apenas dois! Ele pretende que apenas dois animais...

– Ele tem razão – confirma meu tio, que não tira a luneta do olho.

– Essa não!

– Sim, um dos monstros tem focinho de marsuíno, cabeça de lagarto e dentes de crocodilo; foi isso o que nos enganou. É o réptil antediluviano mais temível, o ictiossauro!

– E o outro?

– O outro é uma serpente escondida na carapaça de uma tartaruga, terrível inimigo do primeiro, o plesiossauro!

Hans tinha razão. Apenas dois monstros tumultuam a superfície do mar, e tenho diante dos olhos dois répteis dos oceanos primitivos. Vejo o olho sanguinolento do ictiossauro, do tamanho da cabeça de um homem. A natureza dotou-o de um aparelho de óptica de grande poder, capaz de resistir à pressão das camadas de água nas profundezas que habita. Foi denominado com propriedade de baleia dos sáurios, pois tem sua velocidade e tamanho. Não mede menos de trinta metros, e consigo avaliar seu tamanho quando as nadadeiras verticais de sua cauda aparecem sobre as ondas. Sua mandíbula é enorme e, de acordo com os naturalistas, tem pelo menos cento e oitenta e dois dentes.

O plesiossauro, serpente de tronco cilíndrico, cauda curta, tem as patas dispostas em forma de galhos. O corpo é inteiramente coberto por uma carapaça, e seu pescoço, flexível como o de um cisne, ergue-se quase dez metros acima das águas. Os animais atacam-se com uma fúria indescritível. Erguem montanhas líquidas que refluem até a jangada. Parece que vamos naufragar a qualquer momento. Ouvimos assobios de prodigiosa intensidade. Os dois animais se atracam. Não consigo mais distinguir um do outro. Temos tudo a temer da ira do vencedor. Passam-se uma, duas horas. A luta continua encarniçada. Os combatentes ora aproximam-se, ora afastam-se da jangada. Permanecemos imóveis, prontos para atirar.

De repente, o ictiossauro e o plesiossauro desaparecem, sulcando um verdadeiro *maelström* nas ondas. Passam-se vários minutos. Será que foram terminar o combate nas profundezas do mar?

De repente, aparece uma cabeça enorme, a do plesiossauro. O monstro está mortalmente ferido. Já não vejo sua imensa carapaça. Apenas seu longo pescoço ergue-se, cai e volta a erguer-se, inclina-se, fustiga as ondas como um chicote gigantesco e torce-se como um verme cortado. A água espirra a uma distância considerável. Cega-nos. Mas logo termina a agonia do réptil, os movimentos se reduzem, as contorções se acalmam, e aquele longo pedaço de serpente estende-se como uma massa inerte nas ondas já tranquilas. Quanto ao ictiossauro, voltou à sua caverna submarina ou vai reaparecer na superfície do mar?

Capítulo 34

Quarta-feira, 19 de agosto. – Felizmente o vento, que sopra com força, permite-nos fugir rapidamente do palco da luta. Hans continua ao leme. Meu tio, arrancado de suas ideias absorventes pelos incidentes do combate, volta à sua impaciente contemplação do mar. A viagem retoma sua uniformidade monótona, que não faço a menor questão de interromper devido aos perigos de ontem.

Quinta-feira, 20 de agosto. – Brisa norte-nordeste pouco uniforme. Temperatura alta. Navegamos a uma velocidade de quase dezessete quilômetros por hora. Ao meio-dia, ouvimos um ruído à distância. Atenho-me a anotar o fato sem conseguir explicá-lo. É um mugido contínuo.

– Há, ao longe – disse o professor –, algum rochedo ou alguma ilhota contra a qual o mar se quebra.

Hans sobe à ponta do mastro, mas não viu arrebentação alguma. O mar é uniforme até a linha do horizonte. Passam-se três horas. Os mugidos parecem proceder de uma queda-d'água distante.

Comento com meu tio, que abana a cabeça. No entanto, estou convencido de que não me engano. Estaríamos correndo em direção a uma catarata que nos precipitaria num abismo? É possível que essa forma de descida agrade ao professor, já que se aproxima da vertical, mas quanto a mim... Em todo caso, deve haver a alguns quilômetros na direção do vento um fenômeno ruidoso, pois agora ouvimos mugidos de grande violência. Vêm do céu ou do oceano? Levanto a vista para os vapores suspensos na atmosfera e tento sondar sua profundidade. O céu está tranquilo. As nuvens, bem altas na abóbada, parecem imóveis e perdem-se na intensa irradiação de luz. A razão do fenômeno deve ser outra.

Perscruto então o horizonte claro, sem qualquer bruma. Seu aspecto não mudou. Contudo, se o ruído provém de uma queda, de uma catarata, se todo aquele oceano se precipita numa bacia inferior, se aqueles sons são produzidos por uma massa de água que cai, a corrente deve ativar-se e sua velocidade crescente pode fornecer-me a medida do perigo que nos ameaça. Consulto a corrente. Nada. A garrafa vazia que jogo no mar flutua na direção do vento.

Por volta das quatro horas, Hans levanta-se, escala o mastro e sobe à sua ponta. Dali seu olhar percorre o círculo descrito pelo oceano diante da jangada e se detém num ponto. Seu rosto não exprime qualquer surpresa, mas o olhar se fixa.

– Ele viu algo – comentou meu tio.
– Acho que sim.
Hans desce e, estendendo o braço para o sul, disse:
– *Der nere*.
– Ali? – perguntou meu tio.
E pegando a luneta, examina atentamente por um minuto que me parece um século.
– Sim, sim! – exclamou.
– O que o senhor está vendo?
– Um feixe imenso acima das ondas.
– Mais um animal marinho.
– Talvez.
– Então rumemos para oeste, pois não dá para prever o que pode nos acontecer se depararmos com um monstro antediluviano.
– Deixemos como está – responde meu tio.

Volto-me para Hans, que segura o leme com um rigor inflexível. No entanto, se da distância que nos separa desse animal, distância que devemos estimar em pelo menos sessenta quilômetros, dá para ver a coluna de água que as nadadeiras levantam, deve ser de um tamanho sobrenatural. Fugir seria submeter-se às leis da mais vulgar prudência. Mas não viemos até aqui para ser prudentes. Prosseguimos. Quanto mais nos aproximamos, mais cresce o feixe. Que monstro pode se encher de tamanha quantidade de água e expulsá-la assim, ininterruptamente?

Às oito da noite, estamos a menos de dez quilômetros dele. Seu corpo escuro, enorme, acidentado, estende-se pelo mar como uma ilhota. Seria ilusão, pavor?

Parece ter de dois mil metros de comprimento. Que cetáceo seria esse que nem os Cuvier, nem os Blumembach previram? Está imóvel e como que adormecido; o mar não parece conseguir erguê-lo; são as vagas que ondulam em seus flancos. A coluna d'água, projetada a uma altura de cento e cinquenta metros, volta a cair em forma de chuva com um barulho ensurdecedor. Corremos, insensatos, em direção àquela massa poderosa, que corresponde a mais de cem baleias.

O terror toma conta de mim. Não quero prosseguir! Se preciso, cortarei a vela! Revolto-me contra o professor, que não me responde. De repente, Hans levanta-se, e apontando o local ameaçador:

– Holme! – disse.
– Uma ilha! – exclamou meu tio.
– Uma ilha! – repeti, por minha vez, dando de ombros.
– É claro! – respondeu o professor numa grande gargalhada.
– E essa coluna d'água?
– Geyser – disse Hans.

– Claro, gêiser! – respondeu meu tio. – Um gêiser semelhante ao da Islândia.

A princípio, não admito ter me enganado tão grosseiramente. Confundir uma ilhota com um monstro marinho! Mas constato as evidências e devo, finalmente, admitir meu erro. Não passa de um fenômeno natural. À medida que nos aproximamos, as dimensões do feixe líquido tornam-se grandiosas. A ilhota é extremamente parecida com um imenso cetáceo, cuja cabeça domina as ondas a uma altura de vinte metros. O gêiser, termo que os islandeses pronunciam "geisir" e que significa "furor", ergue-se majestosamente em sua extremidade. Por vezes estouram detonações surdas, e o jato enorme, enraivecido, sacode seu penacho de vapores, saltando até a primeira camada de nuvens. Não é rodeado por fontes quentes ou fumaça, e todo o poder vulcânico resume-se nele. Os raios da luz elétrica misturam-se a esse feixe ofuscante, em que cada gota contém todos os matizes do prisma.

– Abordemos – comanda o professor. É preciso, porém, evitar com cuidado aquela tromba d'água, que afundaria a jangada num instante. Manobrando com habilidade, Hans nos conduz à extremidade da ilhota.

Salto para a rocha. Meu tio acompanha-me a passos rápidos, enquanto o caçador permanece em seu posto, como um homem acima desses assombros. Caminhamos num granito misturado a tufo silicioso; o solo estremece a nossos pés como os flancos de uma caldeira onde se torcem vapores superaquecidos, que queimam. Chegamos a uma pequena bacia central de onde se ergue o gêiser. Mergulho o termômetro na água que corre fervente, e ele marca um calor de cento e sessenta e três graus.

Assim, essa água sai de um centro ardente, o que contradiz singularmente as teorias do professor Lidenbrock. Não consigo evitar um comentário.

– O que isso prova contra a minha doutrina? – replicou.

– Nada – digo num tom seco, percebendo que estou diante de uma teimosia a toda prova.

No entanto, sou obrigado a confessar que estamos sendo singularmente favorecidos até aqui e que, por uma razão qualquer, a viagem está acontecendo em condições especiais de temperatura; mas parece-me evidente que, mais dia menos dia, chegaremos àquelas regiões onde o calor central atinge os seus limites máximos e ultrapassa todas as graduações dos termômetros.

É isso o que veremos. É a palavra final do professor, que, após ter batizado aquela ilhota vulcânica com o nome do sobrinho, dá o sinal de embarque. Ainda fico contemplando o gêiser por alguns minutos. Constato que em seus acessos os jatos são irregulares, que por vezes diminuem de intensidade, depois recomeçam com novo vigor, o que atribuo às variações de pressão dos vapores acumulados em seu reservatório.

Por fim, deixamos a ilha, contornando as rochas muito escarpadas do sul. Hans aproveitou a parada para consertar alguns problemas da jangada. Antes de largar, procedo a algumas observações para calcular a distância percorrida e anoto-as em meu diário. Transpusemos mais de mil e trezentos quilômetros de mar desde porto Grauben, e estamos a quase três mil quilômetros da Islândia, sob a Inglaterra.

Capítulo 35

Sexta-feira, 21 de agosto. – No dia seguinte, o magnífico gêiser desapareceu. O vento, que havia aumentado, afastou-nos rapidamente da ilhota Axel. Os rugidos apagaram-se aos poucos.

O tempo, por assim dizer, vai mudar em breve. A atmosfera está se enchendo de vapores que contêm a eletricidade formada pela evaporação das águas salinas; as nuvens baixam sensivelmente e assumem um matiz uniformemente esverdeado; os raios elétricos mal conseguem atravessar a cortina opaca que desceu sobre o palco onde vai acontecer o drama das tempestades.

Sinto-me particularmente impressionado, como toda criatura diante da aproximação de um cataclismo. As nuvens amontoadas ao sul apresentam um aspecto sinistro; têm aquela aparência "impiedosa" que sempre observei no início das tempestades. O ar está pesado, o mar, calmo. Ao longe, as nuvens parecem grandes bolas de algodão amontoadas em desordem pitoresca; enchem-se aos poucos, perdendo em número o que ganham em tamanho; são tão pesadas que não conseguem se destacar do horizonte; ao sopro das correntes elevadas, gradualmente fundem-se, escurecem e logo apresentam uma única camada de aspecto temível; por vezes um novelo de vapores ainda iluminado salta sobre esse tapete acinzentado e logo vai perder-se na massa opaca.

É evidente que a atmosfera está saturada de fluido, do qual estou impregnado. Meus cabelos eriçam-se como nas proximidades de uma máquina elétrica. Tenho a impressão de que, se meus companheiros me tocassem nesse momento, levariam um choque violento.

Às dez horas da manhã, os sintomas da tempestade são mais nítidos; seria possível dizer que o vento está enfraquecendo para tomar fôlego. O céu parece uma bolsa gigante onde os furacões se acumulam.

Não quero acreditar nas ameaças do céu, mas não posso evitar dizer:

– Vamos ter tempo ruim.

O professor não responde. Está com um humor horroroso por ver o oceano prolongar-se indefinidamente diante de seus olhos.

– Vamos ter tempestade – digo, estendendo a mão para o horizonte. – As nuvens estão baixando sobre o mar como que para esmagá-lo.

Silêncio geral. O vento cala-se. A natureza parece uma morta que não respira mais. No mastro, onde já vejo aparecer um leve fogo de Santelmo, a vela frouxa cai, formando pesadas dobras. A jangada está imóvel no meio de um mar denso, sem ondulações. Se não estamos andando, por que manter essa vela içada, que pode ser nossa perdição ao primeiro choque da tempestade?

– É melhor recolhê-la e derrubarmos o mastro! É bem mais prudente.

– De jeito nenhum! – exclamou meu tio –, de jeito nenhum! Que o vento nos pegue!

Que a tempestade nos leve! Mas que finalmente eu veja os rochedos de uma margem, mesmo que a jangada se despedace!

Mal termina sua frase, e já o horizonte sul muda subitamente de aspecto. Os vapores acumulados viram água, e o ar, chamado com urgência para preencher os vazios produzidos pela condensação, transforma-se em um furacão, que vem dos cantos mais longínquos da caverna. A escuridão aumenta. Mal consigo fazer algumas anotações incompletas. A jangada é erguida, salta. Meu tio cai. Arrasto-me até ele. Está bem agarrado ao pé do mastro e parece considerar com prazer o espetáculo dos elementos em fúria. Hans não se mexe. Seus longos cabelos puxados pelo vendaval e voltando a cair em seu rosto imóvel, atribuem-lhe uma fisionomia estranha, pois todas as pontas estão cobertas de pequeninos penachos luminosos. Sua máscara aterrorizadora é a de um homem antediluviano, contemporâneo dos ictiossauros e megatérios. O mastro resiste. A vela incha como uma bolha prestes a explodir. A jangada corre, levada por um impulso que não consigo avaliar, mas ainda mais devagar que aquelas gotas de água deslocadas sob ela, cuja rapidez traça linhas retas e nítidas.

– A vela! A vela! – disse, fazendo sinal para que a recolham.

– Não! – respondeu meu tio.

– Nej – murmura Hans, abanando a cabeça com suavidade.

Enquanto isso a chuva forma uma catarata ruidosa diante do horizonte para o qual corremos enlouquecidos. Mas antes que ela chegue até nós, o véu de nuvens rasga-se, o mar entra em ebulição e a eletricidade, produzida por uma ampla operação química que acontece nas camadas superiores, entra em ação. Aos estouros do trovão misturam-se os jatos faiscantes do raio; inúmeros relâmpagos entrecruzam-se no meio das detonações; a massa dos vapores torna-se incandescente; os granizos que batem no metal de nossas ferramentas e armas parecem luminosos; as ondas revoltas lembram colinas que vomitam fogo, cada aresta encimada por uma chama. Meus olhos estão ofuscados pela densidade da luz, meus tímpanos estouram com o barulho do raio! Tenho de segurar-me ao mastro, como um caniço sob a violência de um furacão!!!

(Aqui, minhas anotações de viagem tornam-se muito incompletas. Só encontrei algumas observações fugidias, escritas, de certa forma, maquinalmente. Mas, em sua precariedade, em sua própria falta de precisão, estão marcadas pela emoção que me dominava, e melhor que minha memória, transmitem o sentimento da situação.)

Domingo, 23 de agosto. – Onde estamos? Sendo levados numa velocidade incomensurável. A noite foi terrível. A tempestade não se acalma. Vivemos num ambiente de barulho, de detonações incessantes. Nossos ouvidos doem. Não é possível falarmos um com o outro. Não para de relampejar. Vejo os ziguezagues retrógrados, que, após um jato rápido, voltam de baixo até em cima para bater na abóbada de granito. Será que vai desmoronar? Outros relâmpagos bifurcam-se ou assumem a forma de globos de fogo que estouram como bombas. O ruído, em geral, não parece aumentar; ultrapassou o limite de intensidade que o ouvido humano pode aguentar

e, mesmo que todos os depósitos de pólvora do mundo explodissem ao mesmo tempo, não ouviríamos mais do que isso.

Há uma emissão contínua de luz na superfície das nuvens; a matéria elétrica desprende-se incessantemente de suas moléculas. É evidente que os princípios gasosos do ar estão alterados; inúmeras colunas d'água erguem-se para a atmosfera e voltam a cair, espumantes. Para onde estamos indo?... Meu tio está inteiramente deitado na ponta da jangada. O calor duplicou. Consulto o termômetro; indica... (O número está apagado.)

Segunda-feira, 24 de agosto. – Isso não vai acabar nunca! Por que o estado dessa atmosfera, tão densa, uma vez modificado, não se tornaria definitivo? Estamos alquebrados de cansaço. Hans, como sempre. A jangada corre invariavelmente para sudeste. Já percorremos quase mil quilômetros desde a nossa saída da ilhota Axel.

Ao meio-dia, a violência da tempestade intensifica-se ainda mais. Temos de amarrar solidamente todos os objetos que compõem nosso carregamento. Também nos amarramos.

As ondas passam por cima de nossas cabeças. Há três dias não conseguimos trocar qualquer palavra. Abrimos a boca, mexemos os lábios, mas não produzimos qualquer som apreciável. Mesmo falando-nos ao ouvido, não conseguimos escutar uns aos outros.

Meu tio aproximou-se de mim. Articulou algumas palavras. Acho que me disse:

– Estamos perdidos!

Não estou tão certo disso. Decido escrever-lhe o seguinte:

– Recolhamos a vela!

Dá-me o seu consentimento com um gesto. Mal teve tempo de baixar e voltar a levantar a cabeça, quando um disco de fogo apareceu à beira da jangada. O mastro e a vela voaram ao mesmo tempo; vi que subiram a uma altura prodigiosa, como o pterodáctilo, pássaro fantástico dos primórdios do tempo.

Estamos gelados de medo. A bola, metade branca, metade azulada, do tamanho de uma bomba de seis polegadas, passeia lentamente, girando numa velocidade surpreendente sob a corrente do furacão. Ela passa por aqui, por ali, sobe numa das estruturas do barco, pula o saco de provisões, volta a descer um pouco, salta, roça a caixa de explosivos. Horror! Vamos explodir! Não. O disco ofuscante afasta-se; aproxima-se de Hans, que o encara; de meu tio, que sai correndo de joelhos para evitá-lo; de mim, pálido e trêmulo sob o brilho de sua luz e calor; faz uma pirueta perto de meu pé, que tento tirar e não consigo. Um cheiro de gás nitroso enche a atmosfera; penetra na boca, nos pulmões. Sufoco. Por que não consigo retirar meu pé? Está preso na jangada! Ah! A queda do globo elétrico imantou todo o ferro que havia a bordo.

Os instrumentos, as ferramentas, as armas agitam-se entrechocando-se com um tinido agudo; os pregos de meu sapato aderem a uma placa de ferro engastada na madeira. Não consigo tirar meu pé! Finalmente, arranco-o com um esforço violento no momento em que a bola vai pegá-lo em seu movimento giratório e me arrasta...

Ah, que luz intensa! O globo está explodindo! Estamos cobertos por jatos de chamas! Depois, tudo se apaga. Tive tempo de ver meu tio estendido na jangada, Hans ainda no leme cuspindo fogo sob a influência da eletricidade que o impregna! Para onde estamos indo? Para onde?

Terça-feira, 25 de agosto. – Volto a mim após um desmaio prolongado. A tempestade continua; os relâmpagos parecem uma ninhada de serpentes solta na atmosfera. Continuamos no mar? Sim, numa velocidade incalculável. Passamos sob a Inglaterra, sob o Canal da Mancha, sob a França, talvez sob toda a Europa! Mais um barulho! Sem dúvida, o mar quebrando-se nos rochedos! Mas então...

Capítulo 36

Aqui termina o que chamei de diário de bordo, felizmente salvo do naufrágio. Continuo minha narrativa como antes. Não sei dizer o que aconteceu no choque da jangada com os escolhos da costa. Senti que caía no mar e se escapei da morte, se meu corpo não foi despedaçado pelas rochas pontiagudas, foi porque os braços vigorosos de Hans me retiraram do abismo. O corajoso islandês transportou-me para fora do alcance das ondas, para uma areia ardente onde me encontrei ao lado de meu tio. Depois voltou aos rochedos, contra os quais batiam vagas furiosas, para salvar alguns restos do naufrágio. Não conseguia falar; estava alquebrado pelas emoções e pelo cansaço. Precisei de uma hora para me recuperar.

Enquanto isso, o dilúvio continuava, mas com aquela força que anuncia o fim das tempestades. Algumas rochas sobrepostas ofereceram-nos abrigo das torrentes do céu. Hans preparou alimentos em que não consegui tocar, e todos nós, esgotados por três noites de vigília, caímos num sono doloroso. No dia seguinte, o tempo estava magnífico. O céu e o mar haviam-se acalmado de comum acordo. Todo vestígio de tempestade havia desaparecido. Com palavras alegres, o professor saudou meu despertar. Estava numa alegria terrível.

– Então, meu filho, dormiu bem? – perguntou.

Parecia que estávamos na casa da Königstrasse, que eu estava descendo tranquilamente para o café da manhã, que eu iria me casar com Grauben naquele mesmo dia. Qual o quê! Por menos que a tempestade tivesse jogado a jangada para leste, já tínhamos passado sob a Alemanha, sob minha querida cidade de Hamburgo, sob aquela rua onde ficava tudo o que eu amava no mundo. Então apenas duzentos quilômetros estavam separando-me dela! Mas duzentos quilômetros verticais de um muro de granito, e, na realidade, quase cinco mil quilômetros a transpor!

Todas essas dolorosas reflexões atravessaram-me rapidamente a mente antes de eu responder à pergunta de meu tio.

– E essa agora! – repetiu. – Você não quer dizer se dormiu bem?

– Muito bem – respondi. – Ainda estou quebrado, mas não é nada.

– Claro que não é nada, só um pouco de cansaço.

– O senhor parece muito contente, meu tio.
– Estou encantado, meu rapaz, encantado! Chegamos!
– Ao fim de nossa expedição?
– Não, ao final desse mar que não acabava nunca. Agora voltaremos ao caminho de terra para penetrarmos realmente nas entranhas do globo.
– O senhor permite-me uma pergunta?
– Permito, Axel.
– E a volta?
– A volta! Você já pensa em voltar antes mesmo de termos chegado?
– Não, só quero saber como voltaremos.
– Da maneira mais simples do mundo. Assim que chegarmos ao centro do esferoide, ou encontraremos um outro caminho para tornar a subir à superfície ou voltaremos da forma mais burguesa possível: pelo caminho já percorrido. Agrada-me pensar que não se fechará atrás de nós.
– Então, teremos de consertar a jangada.
– Com certeza.
– Ainda há provisões suficientes para continuarmos nossa grande aventura?
– Claro. Hans é um rapaz muito hábil, e tenho certeza de que salvou a maior parte do carregamento.

Saímos daquela gruta fustigada pela brisa. Tinha ao mesmo tempo esperança e medo. Parecia-me impossível que o terrível naufrágio da jangada não tivesse destroçado tudo o que carregava. Estava errado. Ao chegar à margem, vi Hans no meio de uma profusão de objetos bem arrumados. Meu tio apertou-lhe a mão num gesto de agradecimento. Aquele homem, de uma devoção sobre-humana, talvez único no mundo, havia trabalhado enquanto dormíamos e correu risco de vida para salvar os nossos objetos mais preciosos.

Mesmo assim, perdemos objetos bastante importantes; nossas armas, por exemplo. Afinal, não eram tão indispensáveis. A provisão de pólvora estava intacta, depois de ter quase explodido durante a tempestade.

– Já que os fuzis se foram, não seremos obrigados a caçar – exclamou o professor.
– E os instrumentos?
– Aqui está o manômetro, o mais útil de todos, que vale por todos os outros! Com ele poderei calcular a profundidade e saber se alcançamos o centro. Sem ele, arriscaríamos ultrapassá-lo e ir parar na terra dos antípodas! Estava numa alegria feroz.
– E a bússola? – perguntei.
– Está ali, no rochedo, em perfeito estado, assim como o cronômetro e os termômetros. Esse caçador é mesmo precioso!

Era preciso reconhecer que os instrumentos estavam todos ali. Quanto às ferramentas e outros equipamentos, vi, espalhados na areia, escadas, cordas, pás e picaretas. Faltava saber dos víveres.

– E as provisões? – perguntei.
– Vejamos as provisões – respondeu meu tio.

As caixas com os alimentos estavam alinhadas na praia em perfeito estado; a maioria delas havia sido respeitada pelo mar, e podíamos contar com víveres para mais quatro meses, juntando os biscoitos, a carne-seca, o gim e o peixe seco.

– Quatro meses! – gritou o professor. – Dá para ir e voltar, com o restante pretendo oferecer um grande jantar a meus amigos do Johannaeum.

Já devia ter-me habituado há muito tempo com o temperamento de meu tio, mas aquele homem sempre me surpreendia.

– Agora devemos nos reabastecer de água com a chuva que a tempestade depositou em todas essas bacias de granito; assim nada de sede a temer. Quanto à jangada, vou recomendar que Hans a conserte como puder, embora ache que não será mais útil.

– Por quê? – quis saber.

– Intuição, meu filho. Acho que não sairemos por onde entramos.

Olhei para o professor com uma certa desconfiança. Perguntava a mim mesmo se não tinha ficado louco. E, no entanto, nunca tinha falado com tanto bom senso.

– Vamos comer – retomou.

Acompanhei-o até um cabo elevado depois que deu suas instruções ao caçador. Ali, a carne-seca, os biscoitos e o chá formaram uma refeição excelente, que, devo confessar, foi uma das melhores de minha vida. A necessidade, o ar puro, a calma depois da agitação, tudo isso contribuía para o meu apetite. Durante o almoço, conversei com meu tio sobre o problema de sabermos onde estávamos naquele momento.

– Acho difícil calcular – disse.

– Calcular exatamente – respondeu – é impossível, pois, nesses três dias de tempestade, não consegui anotar a velocidade e a direção da jangada. Mas dá para avaliar mais ou menos...

– Realmente, a última observação foi feita na ilhota do gêiser...

– Na ilhota Axel, filho. Não decline a honra de ter batizado com seu nome a primeira ilha descoberta no centro do maciço terrestre.

– Muito bem! Na ilhota Axel havíamos atravessado cerca de mil e trezentos quilômetros de mar, e estávamos a quase três mil quilômetros da Islândia.

– Certo, partamos desse ponto e contemos quatro dias de tempestade, durante os quais nossa velocidade não deve ter sido inferior a uns quatrocentos quilômetros por vinte e quatro horas.

– Acho que sim. Seriam mais mil e quinhentos quilômetros.

– Sim, e o mar Lidenbrock teria mais ou menos três mil quilômetros de uma margem à outra! Sabe, Axel, que o mar Lidenbrock pode competir em grandeza com o Mediterrâneo?

– Sim, principalmente se atravessamos seu comprimento.

– O que é bem possível!

– E, fato curioso – acrescentei –, se nossos cálculos estiverem certos, o Mediterrâneo está justamente sobre nós.

– É verdade!

– É mesmo verdade, pois estamos a uns quatro mil e quatrocentos quilômetros de Reykjavik.

– Percorremos uma bela distância, meu filho. Mas só podemos afirmar que estamos sob o Mediterrâneo em vez de sob a Turquia ou o Atlântico se não nos desviamos de nosso rumo.

– Não, o vento parecia constante; por isso acho que essa margem fica a sudeste de porto Grauben.

– Isso é fácil de averiguar consultando a bússola. Consultemos a bússola!

O professor dirigiu-se até o rochedo sobre o qual Hans havia colocado os instrumentos. Estava feliz, alegre, esfregava as mãos, fazia pose! Realmente um meninão!

Acompanhei-o curioso de saber se não me enganei em minhas estimativas.

Próximo do rochedo, meu tio pegou a bússola, deitou-a e observou a agulha, que, após oscilar, parou numa posição fixa pela influência magnética. Meu tio olhou, esfregou os olhos, olhou de novo. Finalmente, voltou-se para mim estupefato.

– O que houve? – perguntei.

Fez um sinal para que eu examinasse o instrumento. Deixei escapar uma exclamação de surpresa. A agulha marcava o norte no lugar onde achávamos ser o sul! Voltava-se para a praia, em vez de mostrar o alto-mar!

Mexi na bússola, examinei-a; estava em perfeito estado. Por mais que forçássemos outra posição para a agulha, esta retomava obstinadamente a direção inesperada.

Assim, não havia mais dúvidas de que, durante a tempestade, uma virada de vento que não percebemos trouxe o barco de volta às margens que meu tio acreditava ter deixado para trás.

Capítulo 37

Impossível descrever a sucessão de sentimentos que agitaram o professor Lidenbrock: primeiro o estupor, depois a incredulidade e, finalmente, a raiva. Nunca vi homem, a princípio, tão desconcertado e, depois, tão irritado. Teríamos de começar tudo outra vez, o cansaço da travessia, os perigos! Meu tio voltou rapidamente ao controle da situação.

– Ah! A fatalidade quer brincar comigo! – gritou. – Os elementos estão conspirando contra mim! O ar, o fogo e a água uniram seus esforços para impedir-me de passar! Muito bem, verão do que a minha vontade é capaz. Não cederei, não recuarei nenhum milímetro e veremos de quem será a vitória, do homem ou da natureza!

De pé no rochedo, irritado, ameaçador, Otto Lidenbrock, semelhante ao poderoso Ajax, parecia desafiar os deuses. Achei que era o caso de intervir e brecar aquele arrebatamento insensato. Disse num tom firme:

– Aqui embaixo há um limite para qualquer ambição. Não devemos lutar contra o impossível; estamos mal-equipados para uma viagem por mar; não é possível percorrer quase dois mil e quinhentos quilômetros numas vigas mal-amarradas e com um cobertor à guisa de vela, um bastão como mastro, contra ventos enfurecidos. Não podemos dominar, não passamos de brinquedo das tempestades, e tentar outra vez essa travessia impossível é loucura!

Desenvolvi uma série de argumentos, todos irrefutáveis, durante dez minutos sem ser interrompido. Mas o professor não escutou uma só de minhas palavras.

– À jangada! – gritou.

Essa foi sua resposta. Por mais que eu suplicasse, me exaltasse, esbarrava numa vontade mais férrea que o granito. Naquele momento, Hans acabava de consertar a jangada. Parecia que aquele ser bizarro adivinhava os planos de meu tio. Consolidou a embarcação com alguns pedaços de *surtarbrandur*. Já havia içado a vela, em cujas dobras flutuantes o vento brincava. O professor disse algumas palavras ao guia, que logo embarcou as bagagens e arrumou tudo para a partida. A atmosfera estava bastante límpida e soprava um vento noroeste constante.

O que eu podia fazer? Resistir sozinho contra os dois? Impossível. Se Hans ficasse a meu favor! Mas não! Parecia que o islandês havia deixado de lado qualquer vontade pessoal e tinha feito voto de abnegação. Eu nada conseguiria de um criado tão submisso a seu patrão. Tinha de ir com eles. Estava indo para meu lugar habitual na jangada quando meu tio me deteve.

– Só partiremos amanhã – disse.

Minha resposta foi um gesto de resignação.

E acrescentou:

– Não devo negligenciar nada. Como a fatalidade empurrou-me para esta parte da costa, não a abandonarei antes de examiná-la.

A observação é compreensível na medida em que voltávamos para as margens do norte, mas não exatamente ao local de nossa primeira partida. Porto Grauben não devia estar mais a oeste. Nada mais razoável então do que examinar com cuidado os arredores daquela nova abordagem.

– À descoberta! – chamei.

Deixando Hans ocupado com suas coisas, partimos. Era grande a distância entre o mar e o pé dos contrafortes. Caminhamos por uma boa meia hora antes de chegar à parede de rochedos. Nossos pés esmagavam numerosas conchas de todas as formas e tamanhos, onde viveram os animais das primeiras eras.

Havia enormes carapaças, cujo diâmetro ultrapassava cinco metros. Pereceram aos gigantescos gliptodontes do período plioceno, diante dos quais a tartaruga moderna não passava de uma pequenina miniatura. E o solo estava juncado de grande quantidade de cacos semelhantes a pedras, espécies de calhaus arredondados pelas ondas e dispostos em várias fileiras. Fui, portanto, levado a pensar que o mar havia ocupado outrora aquele espaço. As vagas haviam deixado vestígios evidentes de sua passagem nas rochas dispersas e, agora, fora de seu alcance.

Isso podia explicar até certo ponto a existência daquele oceano a quase duzentos quilômetros abaixo da superfície do globo. Mas a minha opinião era que aquela massa líquida se perderia gradualmente nas entranhas da Terra, e provinha, sem dúvida, das águas do oceano, que abriram caminho por alguma fissura. Essa fissura estava atualmente tampada, pois toda aquela caverna, ou melhor, todo aquele imenso reservatório teria se enchido num prazo bem curto. Talvez até, por ter tido de lutar contra os fogos subterrâneos, a água tivesse, em parte, se evaporado. Por isso, as nuvens que pairavam sobre nossas cabeças e a emanação da eletricidade que criava tempestades dentro do maciço terrestre.

A teoria dos fenômenos que testemunhamos parecia-me satisfatória, pois, por maiores que sejam as maravilhas da natureza, sempre podem ser explicadas pela física.

Caminhávamos, portanto, por uma espécie de terreno sedimentar formado pelas águas, como todos os terrenos desse período, tão amplamente distribuídos pela superfície do globo. O professor examinava com atenção cada interstício de rocha. Achava importante sondar a profundidade de qualquer abertura.

Já havíamos percorrido uma um quilômetro e meio ao longo das margens do mar Lidenbrock, quando o solo mudou subitamente de aspecto. Parecia revolvido, convulsionado por uma elevação violenta das camadas inferiores. Em vários sítios, os afundamentos e levantamentos atestavam um forte deslocamento do maciço terrestre. Avançávamos com dificuldade por aquelas fendas de granito, misturadas com sílex, quartzo e depósitos de aluvião quando apareceu um campo, mais do que um campo, uma planície de ossadas.

Parecia um imenso cemitério, em que gerações de vinte séculos confundiam sua poeira eterna. Ao longe, altas colinas de detritos estavam dispostas em andares. Ondulavam até os limites do horizonte, onde se perdiam numa bruma fundente. Em cinco quilômetros quadrados se acumulava ali toda a história da vida animal, pouco inscrita nos terrenos demasiadamente recentes do mundo habitado. Estávamos sendo arrastados por uma curiosidade impaciente. Nossos pés esmagavam com um ruído seco os vestígios daqueles animais pré-históricos e aqueles fósseis, cujos restos raros e interessantes eram tão disputados pelos museus das cidades grandes.

A vida de mil Cuviers não teria bastado para recompor os esqueletos dos seres orgânicos que repousavam naquele magnífico ossário. Eu estava estupefato. Meu tio ergueu seus longos braços para a espessa abóbada que nos servia de céu. A boca desmesuradamente aberta, os olhos fulgurantes sob as lentes dos óculos, a cabeça, que ele abanava de cima para baixo, da esquerda para a direita, enfim, toda a sua postura demonstrava uma surpresa infinita. Encontrava-se diante de uma coleção inigualável de leptotérios, mericotérios, lofópodes, anoplotérios, megatérios, mastodontes, protopitecos, pterodácticos, todos monstros antediluvianos amontoados para sua satisfação pessoal. Imaginem se um bibliomaníaco fanático fosse transportado de repente para a famosa biblioteca de Alexandria, incendiada por Omar, por um milagre renascida das cinzas! Meu tio, o professor Lidenbrock, sentia-se diante de uma miragem.

Mas um sentimento bem diferente tomou conta dele quando, correndo pela poeira orgânica, deu com um crânio desnudo; gritou, a voz trêmula:

– Axel, Axel, uma cabeça humana!

– Uma cabeça humana! Tio! – respondi, não menos estupefato.

– Sim, meu sobrinho! Ah, Milne-Edwards, de Quatrefages por que vocês não estão aqui onde estou, eu, Otto Lidenbrock!

Capítulo 38

Para compreender essa evocação de meu tio aos ilustres cientistas franceses, é preciso saber que ocorreu um fato muito importante na paleontologia pouco tempo antes de nossa partida.

No dia 28 de março de 1863, empreiteiros de aterros que escavavam nas pedreiras de Moulin-Quignon perto de Abbeville, no Departamento de Somme, sob a direção de Boucher de Perthes, descobriram uma mandíbula humana quatro metros abaixo da superfície do solo. Era o primeiro fóssil dessa espécie a ser descoberto. Perto dele, foram encontrados machados de pedra e sílex talhados, coloridos e revestidos pelo tempo de uma pátina uniforme.

Foi grande o impacto da descoberta, não somente na França, mas também na Inglaterra e na Alemanha. Vários cientistas do Instituto Francês, entre outros Milne-Edwards e de Quatrefages, dedicaram-se ao caso de corpo e alma, demonstraram a incontestável autenticidade das ossadas em questão e transformaram-se nos mais ardentes defensores desse "processo da mandíbula", como diziam os ingleses.

Uniram-se aos geólogos do Reino Unido, que consideravam o fato mais do que certo, Falconer, Busk, Carpenter, etc., cientistas da Alemanha, entre eles, nas primeiras fileiras, o mais fogoso, o mais entusiasta, meu tio Lidenbrock. A autenticidade de um fóssil humano da era quaternária parecia, portanto, incontestavelmente demonstrada e admitida.

Houve um adversário implacável do sistema: Élie de Beaumont. Essa alta autoridade científica sustentava que o terreno de Moulin-Quignon não pertencia ao dilúvio, mas a uma camada menos antiga, e, nesse ponto apoiado por Cuvier, não admitia ser a espécie humana contemporânea dos animais da era quaternária. Meu tio Lidenbrock, que concordava com a maioria dos geólogos, manteve sua opinião, discutiu e brigou, e Élie de Beaumont ficou praticamente sozinho na disputa.

Sabíamos de todos os detalhes do caso, mas ignorávamos que depois de nossa partida tinham surgido novos dados. Nos terrenos movediços e cinzentos da França, da Suíça e da Bélgica, foram encontradas outras mandíbulas idênticas, apesar de pertencerem a indivíduos de vários tipos e nações diferentes, assim como armas, utensílios, ferramentas, ossadas de crianças, adolescentes, homens e velhos. A cada dia que passava, confirmava-se mais a existência do homem quaternário.

Outros restos coletados do terreno terciário plioceno permitiram que os cientistas mais audaciosos atribuíssem uma maior antiguidade à raça humana. É verdade que esses restos não eram ossadas de homens, mas apenas objetos que foram construídos. Tíbias e fêmures de animais fósseis com estrias regulares, de certa forma esculpidos, traziam a marca do trabalho humano. Assim, de repente, o homem revelava pertencer a tempos muito mais antigos; precedia o mastodonte, era contemporâneo do elephasmericionalis, tinha cem mil anos de existência, data determinada pelos geólogos mais famosos à formação do terreno plioceno.

Tal era a situação da ciência paleontológica, e o que dela sabíamos bastava para explicar nossa atitude em relação àquele ossário do mar Lidenbrock. Todos poderão compreender, portanto, o estupor e a alegria de meu tio, principalmente quando, vinte passos à frente, encontrou-se diante de, pode-se dizer cara a cara, com um dos espécimes do homem quaternário. Era um corpo humano perfeitamente reconhecível. Um solo de natureza particular, como o do cemitério Saint-Michel em Bordéus, seria capaz de conservá-lo dessa forma por séculos?

Não sei dizer. Mas aquele cadáver, pele esticada e pergaminhosa, membros ainda flexíveis ao menos à visão, os dentes intactos, vasta cabeleira, unhas do pé e das mãos horrivelmente compridas, revelava-se tal como vivera.

Fiquei mudo diante daquela aparição de outra era. Meu tio, tão loquaz, tão falador normalmente, calou-se também. Havíamos erguido, colocado aquele corpo de pé. Olhava-nos através de suas órbitas vazias. Apalpávamos seu torso sonoro. Após alguns minutos de silêncio, o tio foi vencido pelo professor Otto Lidenbrock, que, dominado por seu temperamento, esqueceu as circunstâncias de nossa viagem, o ambiente em que estávamos, a imensa caverna. Com certeza, achou que estava no Johannaeum, lecionando diante de seus alunos, pois assumiu um tom pedante, e dirigindo-se a um auditório imaginário:

– Senhores – disse –, tenho a honra de apresentar-lhes um homem da era quaternária. Grandes cientistas negaram sua existência, outros não menos célebres, confirmaram-na. Se estivessem aqui, os São Tomés da paleontologia, poderiam tocá-lo e reconhecer seu erro. Bem sei que a ciência deve tomar cuidado com as descobertas desse gênero! Não ignoro que charlatães como Barnum e outros da mesma espécie exploraram os homens fósseis de forma desonesta. Conheço a história da rótula de Ajax. Do pretenso corpo de Oreste encontrado pelos espartanos e do corpo de Astérius com cinco côvados de comprimento, mencionado por Pausanias. Li relatórios sobre o esqueleto de Trapani, descoberto no século XIV, no qual se teria reconhecido Polifemo, e a história do gigante desenterrado no século XVI nos arredores de Palermo. Os senhores sabem tanto quanto eu sobre a análise, feita junto a Lucerna em 1577, das grandes ossadas que o célebre médico Felix Platter declarava pertencerem a um gigante de quase seis metros! Devorei os tratados de Cassanion e todas as memórias, brochuras, discursos e réplicas publicadas a propósito do esqueleto do rei dos címbrios, Teutobochus, invasor da Gália, exumado de um areal do Delfinado

em 1613! No século XVIII, teria combatido ao lado de Pierre Campet a existência dos pré-adamitas de Scheuchzer! Tive nas mãos o escrito chamado Gigans...

Aqui voltou a aparecer a enfermidade natural de meu tio, que não conseguia pronunciar as palavras difíceis em público.

– O escrito chamado Gigans... – tentou de novo.

Não conseguia prosseguir.

– Giganto...

Impossível! A palavra infeliz não queria sair! As risadas teriam dominado o Johannaeum!

– Gigantosteologia – arrematou o professor Lidenbrock entre dois palavrões. Depois, continuando em grande forma e animando-se:

– Sim, senhores, conheço todas essas coisas! Também sei que Cuvier e Blumembachre conheceram nessas ossadas simples ossos de mamutes e outros animais da era quaternária. Mas, nesse caso, qualquer dúvida seria uma injúria à ciência! O cadáver está aqui! Vocês podem vê-lo, tocá-lo! Não é um esqueleto, é um corpo intacto, conservado apenas para o estudo antropológico. Não quis, de forma alguma, contradizer essa asserção.

– Se eu pudesse lavá-lo com uma solução de ácido sulfúrico – continuou meu tio –, eliminaria todas as partes terrosas e as conchas resplandecentes nele incrustadas. Mas não disponho do precioso solvente. No entanto, mesmo neste estado, o corpo poderá contar-nos sua própria história. Naquele momento, o professor pegou o fóssil do cadáver e manobrou-o com a habilidade de mostrador de curiosidades.

– Como vocês veem, não tem um metro e oitenta de altura, e estamos longe dos pretensos gigantes. Quanto à raça a que pertence, é incontestavelmente caucasiana. É de raça branca, de nossa raça! O crânio desse fóssil é regularmente ovoide, sem desenvolvimento das maçãs do rosto nem projeção do maxilar. Não apresenta qualquer característica do prognatismo que modifica o ângulo facial. Meçam o ângulo, é de quase noventa graus. Mas irei ainda mais longe nas deduções e ousarei dizer que essa amostra humana pertence à família japética, espalhada desde as Índias até os limites da Europa Ocidental. Não sorriam, senhores!

Ninguém estava sorrindo, mas o professor estava tão acostumado a ver o sorriso desabrochar nos rostos durante suas dissertações científicas!

– Sim – continuou ainda mais animado –, eis um homem fóssil, contemporâneo dos mastodontes, cujas ossadas se amontoam neste anfiteatro. Não me permitiria dizer por quais caminhos chegou até aqui, como essas camadas que o esconderam escorregaram até essa cavidade enorme do globo. Sem dúvida, na era quaternária, perturbações consideráveis ainda se manifestavam na crosta terrestre; o resfriamento contínuo do globo produzia rachaduras, fendas, falhas para onde provavelmente resvalava parte do terreno superior. Não é nada decisivo, mas, enfim, o homem está aqui, cercado de obras feitas por ele, machados de sílex talhados, que constituíram a Idade da Pedra, e a menos que tenha vivido como eu, como turista, como pioneiro da ciência, não posso colocar em dúvida a autenticidade de sua origem antiga.

O professor calou-se e rebentei em aplausos unânimes. Além disso, meu tio tinha toda a razão, e mesmo gente mais sábia que seu sobrinho não poderia refutar seus argumentos.

Outro indício. Aquele corpo fossilizado não era o único daquele imenso ossário. A cada passo naquela poeira encontrávamos mais corpos, entre os quais meu tio poderia escolher os mais maravilhosos para convencer os incrédulos. Na verdade, as gerações de homens e animais misturados naquele cemitério era um espetáculo surpreendente. Mas havia um problema grave que não ousávamos resolver. Os seres animados haviam escorregado devido a uma convulsão do solo para as margens do mar Lidenbrock quando já reduzidos a pó? Ou teriam vivido aqui, neste mundo subterrâneo, sob este céu artificial, tendo nascido e morrido como os habitantes da Terra? Até então, os monstros marinhos, os próprios peixes haviam aparecido vivos para nós! Será que algum homem do abismo ainda estaria errando pelas praias desertas?

Capítulo 39

Por mais meia hora pisamos naquelas camadas de ossos. Seguíamos adiante, levados por uma curiosidade ardente. Que outras maravilhas haviam naquela caverna, que tesouros para a ciência? Meus olhos aguardavam qualquer surpresa, minha imaginação, todos os sustos.

Por trás das colinas do ossário, as margens do mar haviam desaparecido há muito tempo. O professor imprudente, que pouco se preocupava em se perder, estava me levando para longe.

Íamos adiante em silêncio, banhados pelas ondas elétricas. Por um fenômeno que não saberia explicar, a luz iluminava uniformemente as várias faces dos objetos. Seu centro não mais se situava em um ponto determinado do espaço e não produzia qualquer resquício de sombra. Parecíamos estar em pleno verão nas regiões equatoriais, sob os raios verticais do sol. Todo vapor havia desaparecido. Os rochedos, as montanhas longínquas, algumas massas confusas de florestas distantes assumiam um aspecto estranho sob a distribuição uniforme do fluido luminoso. Parecíamos aquele personagem fantástico de Hoffmann que perdeu sua sombra.

Depois de percorrermos um quilômetro e meio, pareceram as margens de uma floresta imensa, mas não se tratava mais daqueles bosques de cogumelos das proximidades de porto Grauben. Grandes palmeiras, de espécies hoje desaparecidas, soberbas palmacitas, pinheiros, teixos, ciprestes, tuias, representavam a família das coníferas e ligavam-se entre si por cipós inextrincáveis. Musgos e hepáticas atapetavam o solo. Riachos passavam sob as sombras pouco dignas do nome, pois não produziam sombra. Às suas bordas cresciam fetos arborescentes semelhantes aos das serras quentes do globo habitado. No entanto, faltava cor àquelas árvores, arbustos, plantas, privados do calor vivificante do sol. Que se confundia num tom uniforme, amarronzado e como que murcho. As folhas não tinham verdor, e as próprias flores, tão numerosas na era terciária que as viu nascer, então sem cores e sem perfume, pareciam feitas de um papel descolorido pela ação da atmosfera.

Meu tio Lidenbrock aventurou-se naquela mata gigantesca. Segui-o, não sem uma certa apreensão. Já que a natureza concedera à floresta toda a riqueza de uma alimentação vegetal, por que não abrigaria os temíveis mamíferos? Via naquelas clareiras amplas deixadas por árvores derrubadas ou corroídas pelo tempo, leguminosas, aceríneas, rubiáceas e mil arbustos comestíveis, caros aos ruminantes de todos os tempos. Depois apareciam, confundidas e misturadas, árvores de regiões bem diferentes da superfície do globo, o carvalho cruzando com a palmeira, o eucalipto australiano apoiando-se no pinheiro da Noruega, a bétula do Norte confundindo seus ramos com os do *kauris* zelandês. Vegetação que confundiria o raciocínio dos classificadores mais engenhosos da botânica terrestre. De repente, parei e detive meu tio com a mão.

A luz difusa permitia que enxergássemos os menores objetos nas profundezas do matagal. Acreditei estar vendo. Não! Realmente via com meus próprios olhos formas imensas agitando-se sob as árvores! De fato, eram animais gigantescos, todo um rebanho de mastodontes, não mais fósseis, mas vivos, parecidos com aqueles cujos restos foram descobertos em 1801 nos pântanos de Ohio! Via elefantes enormes cujas trombas se remexiam sob as árvores como uma legião de serpentes. Ouvia o barulho de suas grandes presas, cujo marfim perfurava os velhos troncos. Os ramos quebravam-se, e as folhas arrancadas por massas consideráveis submergiam nas vastas goelas dos monstros. O sonho em que havia visto renascer todo o mundo dos tempos pré-históricos, das eras terciária e quaternária, enfim realizava-se E nós estávamos ali, sozinhos, nas entranhas do lobo, à mercê de seus habitantes selvagens.

Meu tio olhava.

– Vamos – disse de repente, pegando meu braço –, ande, ande!

– Não – exclamei –, não! Não temos armas! O que faríamos no meio desse rebanho de quadrúpedes gigantescos? Venha, meu tio, venha! Nenhuma criatura humana pode enfrentar impunemente a cólera desses monstros!

– Nenhuma criatura humana! – respondeu meu tio, abaixando a voz. – Você está enganado, Axel! Olhe, lá longe! Parece que estou vendo um ser vivo! Um ser semelhante a nós! Um homem!

Olhei, dando de ombros e decidido a levar a incredulidade a seus últimos limites. Mas por mais que não acreditasse, tive de curvar-me às evidências. Realmente, a menos de quatrocentos metros, apoiado no tronco de um enorme kauri, havia um ser humano, um proteu daquelas regiões subterrâneas, um novo filho de Netuno, pastoreando o rebanho imenso de mastodontes! *Immanis pecoris custos, immanior ipse!* (Para liderar um bando de bestas somente a maior delas).

Não era mais o ser fóssil como descobrimos no ossário, era um gigante capaz de comandar esses monstros! Tinha mais de três metros e meio de altura. Sua cabeça, do tamanho da de um búfalo, desaparecia nas brenhas de uma cabeleira descuidada. Uma verdadeira crina, semelhante à do elefante das primeiras eras. Brandia com a mão um galho enorme, cajado digno de um pastor antediluviano. Ficamos imóveis, estupefatos. Mas podíamos ser vistos. Tínhamos de fugir.

– Venha, venha – exclamava, arrastando meu tio que pela primeira vez, se deixava conduzir.

Quinze minutos depois, estávamos fora do alcance do temível inimigo. E agora que penso naquilo com toda a tranquilidade, que minha mente se acalmou, que se passaram meses desde aquele encontro sobrenatural e estranho, o que devo pensar, no que devo acreditar? Não, é impossível! Nossos sentidos se enganaram, nossos olhos não viram o que viram! Não existe qualquer criatura humana naquele mundo subterrestre! Nenhuma geração de homens habita aquelas cavernas inferiores do globo sem preocupar-se com os habitantes da superfície, sem comunicar-se com eles! É insensato, completamente insensato!

Prefiro admitir a existência de algum animal com estrutura semelhante à do homem, algum macaco das primeiras eras geológicas, algum protopiteco, algum mesopiteco parecido com aquele descoberto por Lartet na jazida de ossos de Sansan! Mas o que vimos ultrapassa em tamanho todas as medidas da paleontologia moderna! E daí? Um macaco, sim, um macaco, por mais inverossímil que seja! Mas um homem, um homem vivo e, com ele, toda uma geração escondida nas entranhas da Terra, nunca!

Saímos da floresta clara e luminosa, mudos de surpresa, esmagados por um estupor que beirava o embrutecimento. Involuntariamente corríamos. Era uma verdadeira fuga, semelhante às correrias aterrorizantes de certos pesadelos. Voltávamos instintivamente para o mar Lidenbrock, e não sei por que divagações minha mente teria sido dominada, não fosse uma preocupação que me trouxe de volta a observações mais práticas.

Embora tivesse certeza de estar pisando em solo totalmente desconhecido para nós, via, por vezes, agrupamentos de rochedos cuja forma lembrava os de porto Grauben, o que, aliás, confirmava a indicação da bússola e nossa volta involuntária para o norte do mar Lidenbrock. Dava, por vezes, para confundir-se. Riachos e cascatas caíam às centenas pelas saliências das rochas. Acreditava estar revendo a camada de surtarbrandur, nosso fiel Hans Bach e a gruta onde voltara à vida. Depois, alguns passos além, a disposição dos contrafortes, o aparecimento de um riacho, o perfil surpreendente de um rochedo fazia com que eu voltasse às dúvidas. Comuniquei minha indecisão a meu tio, que hesitou como eu. Não conseguia localizar-se naquele panorama uniforme.

– É claro – disse-lhe – que não abordamos em nosso ponto de partida, mas a tempestade nos levou um pouco para cima, e, seguindo a margem voltaremos a encontrar o porto Grauben.

– Nesse caso – respondeu meu tio, não vale a pena continuar a exploração, e o melhor que temos a fazer é voltar à jangada. Mas tem certeza de que não está enganado, Axel?

– É difícil afirmar, meu tio, pois todos esses rochedos são parecidos. No entanto, acredito estar reconhecendo o promontório ao pé do qual Hans construiu a embarcação. Devemos estar próximos do portinho, se é que não estamos exatamente nele – acrescentei, examinando uma enseada que acreditei estar reconhecendo.

– Não, Axel, encontraríamos ao menos nossos próprios rastros, e não estou vendo nada...

– Mas eu estou – exclamei, correndo para um objeto que brilhava na areia.

– O que é?

– Isto – respondi.

E mostrei ao meu tio um punhal todo enferrujado que acabava de recolher.

– Que coisa! – disse ele – você trouxe essa arma?

– Eu não! Mas, e o senhor?

– Que eu saiba, não – respondeu o professor. – Nunca tive um objeto assim.

– Que estranho!

– Não, é muito simples, Axel. Os islandeses carregam armas semelhantes a esta, deve pertencer a Hans, que a perdeu...

Abanei a cabeça, Hans não havia trazido qualquer punhal.

– Seria então a arma de algum guerreiro antediluviano – exclamei –, de um homem vivo, de um contemporâneo do gigantesco pastor? Não, não é um instrumento da Idade da Pedra!

Nem mesmo da Idade do Bronze! A lâmina é de aço! Meu tio deteve-me naquela nova divagação e disse-me num tom frio:

– Acalme-se, Axel, e volte ao bom senso. Este punhal é uma arma do século XVI, uma verdadeira adaga, daquelas que os cavaleiros levavam à cintura para o golpe de misericórdia. É de origem espanhola. Não pertence a você, nem a mim, nem ao caçador, nem mesmo aos seres humanos que talvez vivam nas entranhas do globo!

– O senhor ousa afirmar...

– Veja, ela não está estragada de tanto penetrar na garganta dos outros; sua lâmina está recoberta por uma camada de ferrugem que não data de um dia, nem de um ano, nem de um século!

Como de hábito, o professor animava-se, deixando-se levar por sua imaginação.

– Axel – continuou –, estamos prestes a fazer uma grande descoberta! Este punhal ficou abandonado na areia por cem, duzentos, trezentos anos e foi estragado pelos rochedos do mar subterrâneo!

– Mas não chegou aqui andando com as próprias pernas! Não se torceu sozinho! Alguém nos precedeu!...

– Sim, um homem!

– E quem é esse homem?

– Esse homem gravou seu nome com este punhal! Esse homem quis marcar mais uma vez, com suas próprias mãos, o caminho para o centro. Vamos procurar, vamos! E, prodigiosamente interessados, mais uma vez percorremos a alta muralha, examinando as menores fissuras, passíveis de se transformar em galerias. Chegamos assim a um local onde a margem se estreitava. O mar vinha quase banhar o pé dos contrafortes, deixando uma passagem de, no máximo, dois metros de largura. Entre duas rochas que avançavam, via-se a entrada de um túnel escuro. Ali, numa placa de granito, apareciam duas letras misteriosas um tanto corroídas, as duas iniciais do ousado e fantástico viajante:

– A. S.! – exclamou meu tio. – Arne Saknussemm! Sempre Arne Saknussemm!

Capítulo 40

Desde o início desta aventura, já tive muitas surpresas. Acreditava estar imune a elas e ter-me tornado indiferente a qualquer susto. Ao ver, contudo, aquelas duas letras gravadas ali há trezentos anos, fui possuído por um assombro próximo da estupidez. Não somente lia a assinatura do sábio alquimista na rocha, mas ainda tinha em mãos o punhal que a havia traçada. A menos que fosse uma insígnia de má-fé, já não podia colocar em dúvida a existência do viajante e a realidade de sua viagem.

Enquanto essas reflexões giravam em turbilhão na minha cabeça, o professor Lidenbrock tinha um acesso um tanto delirante em relação a Arne Saknussemm.

– Gênio maravilhoso! – exclamava. – Nada esqueceste do que deveria abrir os caminhos da crosta terrestre a outros mortais, e teus semelhantes podem seguir as pegadas deixadas por teus pés, há três séculos, nas profundezas destes sombrios subterrâneos! Reservaste a outros olhos além dos teus a contemplação destas maravilhas! Gravado a cada etapa, teu nome conduz direto ao objetivo o viajante audacioso o suficiente para te seguir, e no próprio centro de nosso planeta ainda o encontraremos inscrito com tua própria mão! Muito bem, eu também assinarei essa última página de granito com meu nome. Mas que, a partir desse momento, este cabo, visto por ti, perto deste mar descoberto por ti, seja chamado para todo o sempre de cabo Saknussemm!

Eis mais ou menos o que ouvi, e senti que o entusiasmo transmitido por aquelas palavras começava a me dominar. Um fogo interior ardia em meu peito! Esquecia tudo, os perigos da viagem, os riscos do retorno. Queria fazer aquilo que um outro tinha feito, e nada do que era humano me parecia impossível!

– Avante! Avante! – gritei.

Já corria em direção à galeria, quando o professor me deteve, e ele, homem de impulsos, aconselhou-me a paciência e o sangue-frio. Disse:

– Antes de mais nada, voltemos até Hans e vamos transportar a jangada para cá.

Obedeci de má vontade e me esgueirei rapidamente pelos rochedos das margens.

— O senhor sabe, meu tio, que até agora as circunstâncias foram extremamente favoráveis para nós?

— Ah, você acha, Axel?

— Sem dúvida, até a tempestade nos colocou no caminho certo! Bendita seja ela! Trouxe-nos para esta costa de onde seríamos afastados pelo bom tempo! Suponha por um momento que tivéssemos aportado nossa jangada às margens meridionais do mar Lidenbrock, o que seria de nós? O nome de Saknussemm não teria aparecido, e agora estaríamos abandonados numa praia sem saída.

— Sim, Axel, embora estivéssemos vagando para o sul, a providência nos trouxe de volta precisamente para o norte, para o cabo Saknussemm. Tenho de admitir que é mais do que surpreendente, e há aí um fato que não consigo mesmo explicar.

— Para que explicar? Não temos de explicar fato nenhum e, sim, aproveitá-lo.

— Claro, meu filho, mas...

— Mas vamos voltar para o caminho do norte, passar sob as regiões setentrionais da Europa, da Suécia, da Sibéria, sei lá, em vez de embrenharmos sob os desertos da África ou sob as vagas do oceano, e não quero saber de mais nada!

— Sim, Axel, você tem razão, e tudo está indo da melhor forma possível, pois estamos abandonando este mar horizontal que não poderia levar-nos a lugar algum. Vamos descer, descer mais, continuar descendo! Você sabe que só faltam uns setenta quilômetros para chegarmos ao centro do globo?

— Nem vale a pena falar sobre isso. Em frente! Em frente! — respondi.

Continuávamos ainda aquela conversa insensata quando alcançamos o caçador. Estava tudo preparado para uma partida imediata. Todos os pacotes embarcados. Subimos na jangada, e, içada a vela, Hans dirigiu-se para o cabo Saknussemm, acompanhando o litoral.

O vento não era favorável para um tipo de embarcação que não conseguia manter-se muito próxima das margens. Em vários lugares, tivemos de remar com os bastões de ferro. Muitas vezes, fomos obrigados a fazer desvios muito longos devido aos rochedos à flor da água. Finalmente, depois de três horas de navegação, ou seja, por volta das seis da tarde, atingimos um local propício para o desembarque. Saltei para a terra, seguido pelo meu tio e pelo islandês. A travessia não tinha me acalmado, muito pelo contrário. Propus até acabarmos com qualquer forma de recuar. Mas meu tio foi contra. Achei-o singularmente frouxo.

— Pelo menos — disse — vamos partir sem perder um só instante.

— Sim, meu filho, mas antes examinemos essa nova galeria para sabermos se temos de preparar as escadas. Meu tio ligou o aparelho de Ruhmkorff; abandonamos a jangada, amarrada à margem; a abertura da galeria era a vinte passos dali, e nossa pequena tropa, comigo na frente, alcançou-a imediatamente. O orifício, mais ou menos circular, tinha cerca de um metro e meio de diâmetro; o túnel estava escavado na rocha viva e havia sido, cuidadosamente, alisado pelas matérias às quais outrora dava passagem; sua parte inferior roçava o solo, de forma que nele pudemos penetrar sem qualquer dificuldade.

Seguíamos por um plano praticamente horizontal quando, depois de seis passos, nossa marcha foi interrompida por um bloco enorme.

– Maldita rocha! – exclamei com raiva, ao ser detido por um obstáculo intransponível.

Por mais que procurássemos em cima ou embaixo, à direita ou à esquerda, não havia qualquer passagem, qualquer bifurcação.

Fiquei extremamente desapontado, não queria admitir a realidade do obstáculo. Abaixei-me. Olhei embaixo do bloco. Nenhum interstício. Em cima, a mesma barreira de granito. Hans levou a luz da lâmpada a todos os pontos da parede, mas esta não oferecia qualquer solução de continuidade. Deveríamos renunciar a qualquer esperança de passar. Sentara-me no chão. Meu tio dava grandes passadas pelo corredor.

– E o Saknussemm? – exclamei.

– É mesmo – suspirou meu tio –, foi detido por esta porta de pedra?

– Não, não! – continuei com vivacidade. – Em virtude de um abalo qualquer ou de um desses fenômenos magnéticos que agitam a crosta terrestre, este pedaço de pedra fechou a passagem. Passaram-se muitos anos entre o retorno de Saknussemm e a queda deste bloco. Não é evidente que esta galeria foi outrora caminho das lavas e que então as matérias eruptivas nela circulavam livremente?

Veja, há fissuras recentes sulcando o teto de granito; trata-se de pedaços trazidos, de pedras enormes, como se a mão de algum gigante tivesse trabalhado nessa substrução; mas, um dia, o impulso foi mais forte, e este bloco, semelhante a uma chave de abóbada que está faltando, escorregou para o chão, obstruindo a passagem. É um obstáculo acidental com que Saknussemm não deparou e havia mergulhado se não o transpusermos, não seremos dignos de chegar ao centro do mundo!

De que forma eu falava! A alma do professor transferira-se para mim. Estava sob inspiração do gênio das descobertas. Esquecia o passado, desdenhava o futuro. Nada mais existia para mim na superfície desse esferoide dentro do qual havia mergulhado, nem as cidades, nem os campos, nem Hamburgo, nem Königstrasse, nem minha pobre Grauben, que devia supor estar seu amado perdido para sempre nas entranhas da Terra!

– Muito bem! – decidiu meu tio –, abriremos nosso caminho, derrubaremos essa muralha a picaretadas e enxadadas!

– É duro demais para a picareta!

– Então, usemos o enxadão!

– É comprido demais para o enxadão!

– Mas...

– Muito bem! A pólvora, as minas, tentemos explodir o obstáculo!

– A pólvora!

– Sim! Não passa de um pedaço de rocha!

– Mãos à obra, Hans! – gritou meu tio.

O islandês foi até a jangada e logo voltou com um enxadão com o qual cavou um buraco para a mina. Era um trabalho e tanto. Tratava-se de fazer um buraco grande o suficiente para conter cinquenta libras de algodão-pólvora, cujo poder expansivo é quatro vezes maior do que o da pólvora de canhão.

Minha excitação havia alcançado o paroxismo. Enquanto Hans trabalhava, ajudava ativamente meu tio a preparar uma mecha longa feita com pólvora molhada e encerrada numa mangueira de tecido.

– Passaremos! – eu dizia.
– Passaremos! – repetia meu tio.

Terminamos completamente nosso trabalho de mineiros à meia-noite. A carga de algodão pólvora estava no buraco e a mecha, que se desenrolava pela galeria, alcançava a parte exterior da caverna. Agora bastava uma faísca para ativar aquele engenho formidável.

– Amanhã – declarou o professor.

Tive de resignar-me a aguardar mais seis longas horas.

Capítulo 41

O dia seguinte, 27 de agosto, foi uma data célebre em nossa viagem subterrânea. Ainda hoje, quando dela me lembro, o coração salta em meu peito. A partir daquele momento, nossa razão, nosso julgamento e nossa engenhosidade perderam qualquer autoridade e transformamo-nos em joguetes dos fenômenos da Terra.

Às seis horas, estávamos de pé. Aproximava-se o momento de, com a pólvora, abrirmos caminho através da crosta de granito. Solicitei a honra de atear fogo à mina. Feito isso, deveria unir-me a meus companheiros na jangada, singraríamos para não sofrer os perigos da explosão, cujos efeitos poderiam não se concentrar no interior do maciço. Conforme nossos cálculos, a mecha deveria arder por dez minutos antes de incendiar a câmara de explosivo. Dispunha, portanto, do tempo necessário para alcançar a jangada. Preparava-me para fazer meu trabalho, não sem uma certa emoção. Após uma rápida refeição, meu tio e o caçador embarcaram, enquanto eu ficava na praia. Eu levava uma lanterna acesa, que me serviria para atear fogo à mecha.

– Vá, meu filho – disse-me meu tio –, mas volte imediatamente.
– Pode ficar tranquilo – respondi –, não me distrairei no caminho.

Dirigi-me para o orifício da galeria. Acendi minha lanterna e peguei a extremidade da mecha.

O professor mantinha o cronômetro na mão.

– Você está pronto? – gritou.
– Estou.
– Então, fogo, meu rapaz!

Mergulhei rapidamente a mecha na chama, que faiscou com o contato, e voltei correndo à beira do mar.

– Embarque – apressou-me meu tio – e larguemos.

Com um impulso vigoroso, Hans nos levou para o mar. A jangada afastou-se uns quarenta metros. Era um momento palpitante. O professor seguia com os olhos a agulha do cronômetro.

– Ainda cinco minutos – dizia. – Ainda quatro! Ainda três! Meu pulso marcava os meios segundos.

– Ainda dois! Um!... Desabem, montanhas de granito!

O que aconteceu então? Acho que não ouvi o ruído da detonação. Mas vi a forma dos rochedos modificar-se de repente; abriram-se como uma cortina. Vi cavar-se em plena praia um abismo insondável. Sofrendo uma vertigem, o mar não passou de uma vaga enorme, em cujo dorso a jangada ergueu-se perpendicularmente. Nós três fomos derrubados. Em menos de um segundo, a escuridão tomou o lugar da luz. Senti a falta de um apoio sólido, não para meus pés, mas para a jangada. Achei que estávamos naufragando. Não era nada disso. Quis dirigir-me a meu tio, mas o mugido das águas impediria que o professor me ouvisse. Apesar das trevas, do barulho, da surpresa e da emoção, compreendi o que havia acontecido. Atrás da rocha que tinha acabado de explodir existia um abismo. A explosão provocou uma espécie de tremor de terra naquele solo sulcado de fissuras, abriu-se um abismo, e o mar, transformado em torrente, arrastava-nos com ele.

Senti que estava perdido. Uma hora, duas horas, sei lá! Passaram-se assim. Agarrávamo-nos pelos cotovelos, pelas mãos, para não ser jogados para fora da jangada. Quando a embarcação batia nas muralhas, aconteciam choques de extrema violência. Os choques, porém, eram raros. Daí, concluí que a galeria se alargava consideravelmente. Tratava-se, com certeza, do caminho de Saknussemm. Mas, em vez de descermos só nós, por ele, tínhamos, com nossa imprudência, arrastado todo o mar.

É possível compreender que essas ideias se apresentavam de forma vaga e obscura. Associava-as com dificuldade durante aquela corrida vertiginosa, que mais parecia uma queda. Pelo ar que me fustigava o rosto, a velocidade devia ultrapassar a dos trens mais rápidos. Era, portanto, impossível acender uma tocha naquelas condições, e nosso último aparelho elétrico tinha se quebrado no momento da explosão.

Qual a minha surpresa então ao ver uma luz brilhar de repente perto de mim. A figura calma de Hans iluminou-se. O hábil caçador tinha conseguido acender a lanterna, que lançou alguns clarões na aterrorizante escuridão.

A galeria era ampla. Estava certo em minha avaliação. A insuficiência de luz não nos permitia ver suas duas muralhas ao mesmo tempo. A inclinação das águas que nos levava ultrapassava a das correntezas mais intransponíveis da América. Sua superfície parecia feita de um feixe de flechas líquidas disparadas com muita força. Impossível transmitir minha impressão por uma comparação mais correta. Passando certos redemoinhos, por vezes a jangada corria girando. Quando se aproximava das paredes da galeria, eu nelas projetava a luz da lanterna e conseguia avaliar a velocidade da embarcação vendo as saliências das rochas transformarem-se em traços contínuos, de forma que parecíamos presos numa rede de linhas moventes. Estimava nossa velocidade em cento e cinquenta quilômetros por hora.

Eu e meu tio trocávamos olhares desvairados, agarrados ao resto do mastro, que no momento da catástrofe se quebrou. Dávamos as costas para o mar, para não ser sufocados pela rapidez de um movimento que nenhuma força humana poderia deter.

A situação não mudava, mesmo com a passagem das horas. Um incidente veio complicar tudo. Ao tentarmos colocar o carregamento em ordem, vi que a maioria dos objetos embarcados havia desaparecido no momento da explosão, quando o mar nos assaltou tão violentamente. Quis saber exatamente com que recursos contar, e, lanterna na mão, comecei a examinar. De nossos instrumentos, só restavam a bússola e o cronômetro. As escadas e as cordas reduziam-se a um pedaço de cabo enrolado ao redor do mastro. Nenhuma pá, nenhuma picareta, nenhum martelo e, desgraça irreparável, só tínhamos víveres para mais um dia.

Perscrutei os interstícios da jangada, todos os cantinhos formados pelas vigas e junção de pranchas. Nada! Nossas provisões consistiam unicamente em um pedaço de carne-seca e uns biscoitos. Olhava com um ar de estupidez! Mesmo que os víveres fossem suficientes para meses, anos, como sair dos abismos para onde aquela torrente irresistível nos arrastava? Para que temer as torturas da fome, quando a morte já se oferecia sob tantas outras formas? Será que teríamos tempo para morrer de inanição?

Por uma inexplicável estranheza da imaginação, esquecia-me do perigo imediato, e as ameaças do futuro apareciam diante de mim com todo o seu horror. Além disso, talvez pudéssemos escapar dos furores da torrente e voltar à superfície do globo. Como? Não sei. Onde? Que importância teria? Uma chance em mil é sempre uma chance, enquanto a morte por fome não nos deixava qualquer tipo de esperança, por menor que fosse.

Pensei em dizer tudo ao meu tio, em mostrar-lhe a que penúria estávamos reduzidos e em fazer o cálculo exato do tempo de vida que nos restava. Mas tive coragem para calar-me. Queria que ele mantivesse todo o seu sangue-frio.

Naquele momento, a luz da lanterna diminuiu gradualmente até apagar-se por completo. A escuridão voltou a ser absoluta. Não era o caso de pensar em dissipar as trevas impenetráveis. Restava ainda uma tocha, mas não conseguiríamos mantê-la acesa. Então, como uma criança, fechei os olhos para não ver toda aquela escuridão.

Depois de algum tempo, a velocidade de nossa corrida duplicou, fato que pude perceber pela corrente de ar em meu rosto. A inclinação das águas tornava-se excessiva. Acho que não mais escorregávamos, caíamos. A impressão era a de uma queda praticamente vertical. As mãos de Hans e de meu tio, agarradas a meus braços, detinham-me com vigor.

De repente, após um tempo impossível de avaliar, senti como que um choque; a jangada não bateu num corpo duro, mas foi subitamente detida em sua queda. Uma tromba d'água, uma imensa coluna líquida desabou sobre sua superfície. Senti-me sufocado. Estava me afogando. Apesar de tudo, a inundação súbita não durou muito. Em alguns segundos, senti que voltava ao ar livre, que inspirei a plenos pulmões. Meu tio e Hans apertavam-me o braço a ponto de quase quebrá-lo e ainda estávamos os três na jangada.

Capítulo 42

Suponho que deviam ser dez horas da noite. Meu primeiro sentido que funcionou após a última aventura foi a audição. Quase que imediatamente ouvi o silêncio voltar à galeria e substituir os mugidos que há muitas horas enchiam meus ouvidos. Finalmente, as palavras de meu tio chegaram-me como um murmúrio:

– Estamos subindo!
– O que o senhor está querendo dizer? – perguntei.
– Estamos subindo, sim, estamos subindo!

Estiquei o braço e toquei a muralha; minha mão ficou ensanguentada. Subíamos com extrema rapidez.

– A tocha! A tocha! – exclamou o professor.

Hans conseguiu acendê-la com muita dificuldade, e a chama, mantendo-se de baixo para cima, iluminou bastante todo o cenário.

– É exatamente o que eu estava pensando – disse meu tio.
– Estamos num poço estreito, que não tem nem oito metros de diâmetro. Tendo chegado ao fundo do abismo, a água está subindo para voltar ao seu nível e faz com que subamos com ela.
– Para onde?
– Não sei, e devemos estar preparados para qualquer acontecimento. Subimos a uma velocidade que avalio ser de quatro metros por segundo, ou seja, duzentos e quarenta metros por minuto e mais de dezessete quilômetros por hora. A esse ritmo, estamos andando bastante.
– Sim, se nada nos deter, se houver uma saída nesse poço!

Mas se estiver bloqueado, se o ar se comprimir gradualmente devido à pressão da coluna de água, se formos esmagados!

– Axel – respondeu o professor na maior calma –, a situação é quase desesperadora, mas há algumas chances de salvação e faço questão de examiná-las. Se a cada minuto podemos perecer, a cada momento podemos ser salvos. Estejamos prontos para aproveitar as menores circunstâncias.

– Mas o que podemos fazer?
– Recuperar nossas forças comendo.

Olhei para meu tio com um ar desvairado. Devia finalmente dizer o que não queria confessar:

– Comer? – repetia.

– Sim, imediatamente.

O professor acrescentou alguns termos em dinamarquês. Hans balançou a cabeça.

– Como! – exclamou meu tio. – Perdemos nossas provisões?

– Sim, só nos resta um pedaço de carne-seca para três.

Meu tio encarava-me sem querer compreender o que eu dizia.

– O senhor continua achando que podemos nos salvar?

Não obtive resposta. Passou-se uma hora. Começava a sentir uma fome violenta. Meus companheiros também sofriam, mas nenhum de nós ousou tocar naquele miserável resto de alimento. Entrementes, continuávamos a subir com extrema rapidez. Por vezes, o ar nos cortava a respiração, como acontece com os aeronautas cuja ascensão é rápida demais. Mas se eles sentem um frio cada vez maior à medida que se elevam nas camadas atmosféricas, sofríamos um efeito absolutamente contrário. O calor aumentava de forma preocupante e, certamente, devia atingir quarenta graus naquele momento.

O que significava aquela mudança? Até então, os fatos haviam dado razão às teorias de Davy e Lidenbrock. As condições particulares das rochas refratárias, de eletricidade e de magnetismo haviam modificado as leis gerais da natureza, concedendo-nos uma temperatura moderada. Na minha opinião, a teoria do fogo central continuava a ser a única verdadeira e explicável. Estávamos voltando para um ambiente onde esses fenômenos aconteciam com todo o rigor e no qual o calor reduzia as rochas a um estado de fusão total? Era o que eu temia e o disse ao professor:

– Se não naufragarmos ou formos despedaçados, se não morrermos de fome, ainda poderemos ser queimados vivos.

Ele contentou-se em dar de ombros e voltar a suas reflexões. Mais uma hora se passou sem que qualquer incidente modificasse a situação, a não ser um leve aumento da temperatura. Finalmente, meu tio rompeu o silêncio:

– Bem, temos de tomar alguma atitude.

– Atitude? – indaguei.

– Sim. Temos de recuperar nossas forças. Se tentarmos prolongar nossas vidas por algumas horas poupando esse resto de comida, ficaremos fracos até o fim.

– Sim, até o fim, que não tardará.

– Muito bem. E se aparecer uma chance de salvar-nos, se for necessário agir, onde encontraremos as forças necessárias, se nos deixarmos enfraquecer pela inanição?

– Ah, meu tio, se devorarmos esse pedaço de carne, o que nos restará?

– Nada, Axel, nada. Mas você se sente mais bem nutrido devorando-a com os olhos? Isso é raciocínio de um homem sem vontade, sem energia!

– Então o senhor está desesperado? – perguntei, irritado.

– Não! – replicou o professor com firmeza.

– O quê! O senhor ainda tem esperanças de salvar-se?

– Claro que sim! Enquanto o coração bater e a carne palpitar, não admito que um ser dotado de vontade ceda lugar ao desespero!

Que palavras! E o homem que as pronunciava em tais circunstâncias tinha com certeza um caráter pouco comum.

– Mas o que fazer? – perguntei.

– Comer até a última migalha o resto da comida para recuperar as forças que perdemos. Mesmo que seja a nossa última refeição! Mas ao menos, em vez de permanecer esgotados, voltaremos a ser homens!

Meu tio pegou o pedaço de carne e os poucos biscoitos que escaparam do naufrágio, dividiu em três porções iguais e distribuiu-as. Dava cerca de uma libra de alimento para cada um. Meu tio comeu com avidez, com uma espécie de arrebatamento febril; eu, sem prazer apesar de minha fome, quase com nojo; Hans, tranquilamente, com moderação, mastigando sem ruído os pedacinhos, saboreando-os com a calma de um homem nada preocupado com os problemas futuros. Depois de muito procurar, encontrou um cantil cheio, até a metade, de gim, ofereceu-nos, e aquela bebida conseguiu reanimar-me um pouco.

– Förtraffkg! – disse Hans, bebendo.

– Excelente! – volveu meu tio.

Voltei a ter alguma esperança. Mas nossa última refeição havia terminado. Eram cinco horas da manhã.

O homem é feito de tal forma que sua saúde é um efeito puramente negativo. Satisfeita a necessidade de comer, dificilmente consegue imaginar os horrores da fome; precisa senti-los para compreendê-los. Ao final de um longo jejum, alguns bocados de biscoito e carne venceram nossos sofrimentos passados. Após a refeição, cada qual voltou a suas reflexões. Em que pensava Hans, aquele homem do Extremo Ocidente dominado pela resignação fatalista dos orientais?

Quanto a mim, só pensava nas lembranças que me faziam voltar à superfície daquele globo que jamais deveria ter abandonado. A casa da Kõnigstrasse, minha pobre Grauben e a boa Marthe passaram como visões diante de meus olhos, e acreditava surpreender os ruídos das cidades da Terra nos grunhidos lúgubres que percorriam o maciço.

Meu tio, sempre em seu posto, tocha na mão, examinava com atenção a natureza dos terrenos. Tentava reconhecer nossa situação pela observação das camadas sobrepostas. Esse cálculo, ou melhor, essa estimativa, só podia ser muito aproximativa. Um cientista, porém, é sempre um cientista quando consegue conservar seu sangue-frio, e, sem dúvida, o professor Lidenbrock possuía essa rara qualidade.

Ouvia-o murmurar palavras da ciência geológica; eu era capaz de compreendê-las, e involuntariamente interessava-me por aquele derradeiro estudo.

– Granito eruptivo – dizia. – Ainda estamos na era primária, mas estamos subindo, subindo cada vez mais. Quem sabe o que encontraremos?

Quem sabe? Continuava a ter esperanças. Tocava a parede vertical e, poucos instantes depois, tornava:

– Gnaisses! Micaxistos! Bem, logo chegaremos a terrenos da era de transição e então...

O que o professor queria dizer? Era capaz de medir a espessura da crosta terrestre suspensa sobre nossas cabeças? Tinha um meio qualquer de fazer esse cálculo? Não. Sem o manômetro, qualquer estimativa ficava impossível. A temperatura continuava aumentando, e sentia-me completamente molhado naquela atmosfera ardente. Só conseguia compará-la ao calor dos fornos de uma fundição na hora da moldagem. Gradualmente Hans, meu tio e eu tiramos nossos paletós e coletes; a menor peça de roupa provocava muito mal-estar e até sofrimento.

– Estamos subindo em direção a um forno incandescente! – exclamei ao sentir o calor aumentar.

– Não – respondeu meu tio. – Impossível! Impossível!

– Essa muralha está fervendo! – insisti, apalpando a parede.

No momento em que pronunciei essas palavras, minha mão tocou a água, e tive de retirá-la imediatamente.

– A água está fervendo! – exclamei.

Dessa vez, a única resposta do professor foi um gesto de cólera. Logo um terror invencível tomou conta de meu cérebro e não o abandonou mais. Sentia a aproximação de uma catástrofe de tamanhas proporções que nem a imaginação mais audaciosa seria capaz de concebê-la. Uma ideia, a princípio vaga, transformou-se em certeza para mim. Não ousava formulá-la. Algumas observações involuntárias, contudo, confirmavam minha convicção. À luz duvidosa da tocha, observei alguns movimentos desordenados nas camadas graníticas. Era evidente que ocorreria algum fenômeno ligado à eletricidade. Além disso, o calor excessivo, a água fervente!... Quis consultar a bússola. Ela havia enlouquecida!

Capítulo 43

Sim, enlouqueceu! A agulha pulava bruscamente de um polo para outro, percorria todos os pontos do marcador e girava como se estivesse com vertigem.

Eu sabia muito bem que, de acordo com as teorias mais aceitas, a crosta mineral do globo nunca está em estado de repouso absoluto; as modificações provocadas pela decomposição das matérias inertes, a agitação proveniente das grandes correntes líquidas, a ação do magnetismo, tendem a abalá-la sem cessar, enquanto os seres disseminados em sua superfície nem suspeitam de sua agitação. Esse fenômeno não teria me assustado demais, nem me evocado qualquer ideia terrível.

Outros fatos, porém, alguns detalhes sui generis, não conseguiram me enganar por muito tempo. As detonações multiplicavam-se com uma intensidade aterrorizante. Só podia compará-las ao estrondo de um grande número de carroças arrastadas com rapidez pela calçada. Um trovão contínuo.

Além disso, a bússola enlouquecida, abalada por fenômenos elétricos, confirmava minha opinião. A crosta mineral ameaçava romper-se, os maciços graníticos unir-se, a fissura preencher-se, o vazio encher-se e nós, pobres átomos, seríamos esmagados por aquele abraço formidável.

– Meu tio, meu tio! – exclamei. – Estamos perdidos!

– Qual é o seu medo desta vez? – respondeu-me com uma calma surpreendente. – Qual é o problema?

– Problema! Observe estas muralhas agitando-se, o maciço deslocando-se, este calor tórrido, a água fervente, os vapores cada vez mais densos, a agulha enlouquecida, tudo indica um terremoto!

Meu tio abanou a cabeça com suavidade.

– Um terremoto? – perguntei.

– Claro!

– Acho que você está enganado, meu filho!

– Como, você não conhece os sintomas?

– De um terremoto? Não. Estou esperando algo bem melhor.

– O que o senhor quer dizer?

– Uma erupção, Axel.

– Uma erupção! Estamos na cratera de um vulcão em atividade! – disse, alterado.

– Acho que sim – disse o professor sorrindo –, e é o melhor que pode nos acontecer!

O melhor! Meu tio ficou louco? O que significavam aquelas palavras? Por que aquela calma e aquele sorriso?

– Como! – exclamei. – Estamos numa erupção! A fatalidade jogou-nos na trilha das lavas incandescentes, das rochas ardentes, das águas ferventes, de todas as matérias eruptivas!

Vamos ser repelidos, expulsos, jorrados, vomitados, expectorados pelos ares com pedaços de rocha, chuvas de cinzas e escórias, num turbilhão de chamas, e é o que pode nos acontecer de melhor!

– Sim – respondeu o professor, encarando-me por cima dos óculos –, pois é a única chance que temos de voltar à superfície da terra!

Repasso rapidamente as mil ideias que se cruzaram em meu cérebro. Meu tio tinha razão, toda a razão e jamais me pareceu tão audacioso e convicto quanto naquele momento em que esperava e calculava com calma as chances de uma erupção.

Enquanto isso, continuávamos subindo. A noite passou naquele movimento ascensional; o barulho ao redor aumentava; estava quase sufocado, achava ter chegado a minha hora. No entanto, a imaginação é tão estranha que me dedicava a uma pesquisa realmente infantil. Mas eu suportava meus pensamentos, não conseguia dominá-los!

Era óbvio que estávamos sendo repelidos por um impulso eruptivo; sob a jangada, águas ferventes, e sob essas águas, uma pasta de lava, um agregado de rochas que, no topo da cratera, seriam dispersas em todos os sentidos. Estávamos, portanto, na cratera de um vulcão. Não havia dúvidas a esse respeito. Mas desta vez, em vez do Sneffels, vulcão extinto, tratava-se de um vulcão em plena atividade.

Perguntava-me, portanto, que montanha seria aquela e em que parte do mundo seríamos expulsos.

Nas regiões setentrionais, sem dúvida. Antes de enlouquecer, a bússola nunca apontara outra direção. Desde o cabo Saknussemm, havíamos sido conduzidos diretamente para o norte por centenas de quilômetros. Será que havíamos voltado para baixo da Islândia?

Seríamos expulsos pela cratera do Hecla ou por um dos sete outros montes que cospem fogo? Só me lembrava, naquele paralelo, num raio de dois mil e quinhentos quilômetros a oeste, dos vulcões pouco conhecidos da costa noroeste da América. A leste só existia um no grau oitenta de latitude, o Esk, na ilha de Jean-Mayen, nada longe do Spitzberg! Não faltavam crateras, todas espaçosas o suficiente para vomitar todo um exército. Contudo, eu tentava adivinhar qual delas nos serviria de saída.

O movimento de ascensão acelerou-se pela manhã. O calor havia aumentado, em vez de diminuir com a aproximação da superfície do globo, simplesmente porque era provocado pela influência vulcânica. Nosso meio de locomoção não deixava qualquer dúvida. Uma força enorme, de várias centenas de atmosferas, produzida pelos vapores acumulados no centro da Terra, impulsionava-nos irresistivelmente. Mas a quantos perigos nos expunha!

Logo reflexos fulvos penetraram na galeria vertical que se alargava; eu via, à direita e à esquerda, corredores profundos semelhantes a imensos túneis, de onde saíam vapores espessos; línguas de chamas lambiam as paredes, cintilando.

– Veja, veja, meu tio! – exclamei.

– O que é que tem? São chamas sulfurosas. Nada mais natural numa erupção.

– E se nos envolverem?

– Não nos envolverão.

– E se formos sufocados?

– Não seremos sufocados. A galeria está alargando-se, e se for preciso abandonaremos a jangada para abrigar-nos em alguma fenda.

– E a água? A água está subindo?

– Não há mais água, Axel, mas uma espécie de pasta de lava que nos ergue com ela até o orifício da cratera.

Com efeito, a coluna líquida desapareceu para ceder lugar a matérias eruptivas bastante densas, embora ferventes. A temperatura tornou-se insuportável, e um termômetro naquela atmosfera marcaria mais de setenta graus! Eu estava inundado de suor. Não fosse a rapidez da ascensão, teríamos sufocado. O professor esqueceu sua ideia de abandonar a jangada, no que fez muito bem. Aquelas vigas mal unidas ofereciam uma superfície sólida, um ponto de apoio que nos faltaria em qualquer outra parte. Por volta das oito horas da manhã, aconteceu, pela primeira vez, um novo incidente. O movimento ascensional parou de repente. A jangada permaneceu completamente imóvel.

– O que é isso? – perguntei, abalado por aquela parada súbita, como o teria sido por um choque.

– Uma parada – respondeu meu tio.
– A erupção acalmou-se?
– Espero que não.

Levantei-me. Tentei olhar a meu redor. Talvez a jangada, detida por uma saliência de rocha, opusesse uma resistência momentânea à massa eruptiva. Se fosse esse o caso, deveríamos apressar-nos em libertá-la o quanto antes. Não era nada disso. A coluna de cinzas, escórias e detritos pedregosos parou de subir por conta própria.

– Será que a erupção parou? – exclamei.
– Ah! – murmurou meu tio, cerrando os dentes. – Você está com medo disso, mas fique tranquilo, pois o momento de calma não se prolongará muito; já dura cinco minutos, e logo voltaremos à nossa ascensão ao orifício da cratera.

Enquanto falava, o professor não parava de consultar seu cronômetro, e, mais uma vez, devia ter razão em seus prognósticos. Logo a jangada voltou a ser abalada por um movimento rápido, que durou mais ou menos dois minutos e tornou a parar.

– Bem – resmungou meu tio observando a hora –, daqui a dez minutos voltará a andar.
– Dez minutos?
– Sim. Trata-se de uma erupção intermitente. O vulcão permite-nos respirar com ele...

Pura verdade! No minuto preciso, fomos jogados de novo com extrema rapidez. Precisávamos agarrar-nos às vigas para não ser lançados para fora da jangada. Mais uma vez, o impulso deteve-se. Desde então, reflito sobre aquele fenômeno singular sem encontrar qualquer explicação satisfatória. Parece-me, no entanto, evidente que não estávamos na cratera principal do vulcão, mas num conduto acessório, onde um efeito de repercussão se fazia sentir. Não sei dizer por quantas vezes essa manobra se repetiu. Só sei dizer que toda vez que o movimento voltava éramos lançados com uma força crescente, como se estivéssemos num projétil.

Nos instantes de parada, sufocávamos; nos momentos de projeção, o ar ardente cortava-me a respiração. Pensei, por um momento, na volúpia de encontrar-me de repente nas regiões glaciais, num frio de trinta graus abaixo de zero. Minha imaginação excitada passeava pelas planícies de neve das regiões árticas, e eu aspirava ao momento de rolar pelos tapetes gelados do polo! Além disso, alquebrado pelos repetidos abalos, perdi a cabeça. Não fossem os braços de Hans, teria arrebentado mais de uma vez o crânio nas paredes de granito.

Não conservei, portanto, nenhuma lembrança precisa do que aconteceu nas horas seguintes. Tenho o sentimento confuso de contínuas detonações, da agitação do maciço, de um movimento giratório que arrebatou a jangada. A embarcação ondulou pelas correntes de lava em meio a uma chuva de cinzas. Foi envolvida por chamas estrepitosas. Um furacão que parecia ser provocado por um imenso ventilador agitava os fogos subterrâneos. Vi o rosto de Hans pela última vez num reflexo do incêndio, e meu último sentimento foi o terror sinistro dos condenados amarrados à boca de um canhão no momento em que vai ser disparado, e, assim, dispersar seus membros pelos ares.

Capítulo 44

Quando tornei a abrir os olhos, senti que a mão vigorosa do guia me apertava a cintura. Com a outra mão, ele segurava meu tio. Não estava gravemente ferido, mas alquebrado por um cansaço geral. Vi que estava deitado na vertente de uma montanha, a dois passos de um abismo, no qual poderia cair ao menor movimento. Hans tinha me salvado da morte, quando eu rolava pelos flancos da cratera.

– Onde estamos? – perguntou meu tio, que me pareceu muito irritado por ter voltado à superfície da terra.

O caçador ergueu os ombros, mostrando que ignorava.

– Na Islândia – eu disse.

– *Nej* – respondeu Hans.

– Como não? – gritou o professor.

– Hans está enganado – disse, erguendo-me.

Após as inúmeras surpresas da viagem, mais um estupor aguardava-nos. Esperava ver um cone coberto de neves eternas, no meio dos áridos desertos das regiões setentrionais, sob os raios pálidos de um céu polar, além das latitudes mais altas; mas, ao contrário de todas as previsões, meu tio, o islandês e eu estávamos estendidos no flanco de uma montanha calcinada pelos ardores do sol, que nos devorava com seu calor.

Não conseguia acreditar no que via; o fato de sentir meu corpo assado, porém, não permitia qualquer dúvida. Saíramos seminus da cratera, e o astro radioso, ao qual nada pedíamos há dois meses, mostrava-se pródigo em luz e calor, banhando-nos numa esplêndida irradiação.

Assim que meus olhos se habituaram ao brilho ao qual não estavam mais acostumados, empreguei-os para retificar os erros de minha imaginação. Queria, pelo menos, estar no Spitzberg, e não estava com humor para ceder tão facilmente.

O professor foi o primeiro a falar e disse:

– De fato, isto não parece nada com a Islândia.

– Será a ilha de Jean-Mayen? – arrisquei.

– Também não, meu rapaz. Isto não é um vulcão do norte com suas colinas de granito e sua calota de neve.

– Mas...

– Olhe, Axel, olhe!

Acima de nossas cabeças, a cento e cinquenta metros no máximo, abria-se a cratera de um vulcão pela qual saía, a cada quinze minutos, com uma detonação muito forte, uma alta coluna de chamas, misturada a pedra-pomes, cinzas e lavas. Sentia as convulsões da montanha, que respirava à maneira das baleias e lançava de quando em quando fogo e ar pelos seus enormes respiradouros.

Abaixo, num declive bastante íngreme, os lençóis de matérias eruptivas estendiam-se por uma profundidade de duzentos a duzentos e cinquenta metros, o que fazia com que a altitude total do vulcão mal alcançasse seiscentos metros. Sua base desaparecia numa verdadeira corbelha de árvores verdes, entre as quais eu distinguia oliveiras, figueiras e vinhas carregadas de uvas vermelhas. Era preciso convir que não parecia nada com as regiões árticas.

Quando o olhar transpunha aqueles limites verdejantes, chegava rapidamente a perder-se nas águas de um mar admirável ou de um lago, que transformava aquela terra encantada numa ilha com apenas alguns quilômetros de largura. No levante, via-se um portinho, precedido por algumas casas, no qual navios de formato singular balançavam às ondulações das vagas azuladas.

Mais além, saíam da planície líquida grupos de ilhotas tão numerosos que pareciam um vasto formigueiro. Em direção ao poente, as costas afastadas arredondavam-se no horizonte; numas, perfilavam-se as montanhas azuis de conformação harmoniosa, noutras, mais distantes, agitava-se um penacho de fumaça. Ao norte, uma imensa extensão de água resplandecia aos raios de sol, revelando aqui e ali a extremidade de uma mastreação ou a convexidade de uma vela inchada pelo vento.

O imprevisto de tal espetáculo centuplicava suas maravilhosas belezas.

– Onde estamos? Onde estamos? – repetia, baixinho.

Hans fechava os olhos com indiferença, e meu tio olhava sem entender.

– Qualquer que seja esta montanha – disse ele finalmente – faz bastante calor; as explosões continuam, e realmente não vale a pena sair de uma erupção para levar um pedaço de rocha na cabeça. Desçamos, para conseguir orientar-nos. Além disso, estou morrendo de fome e de sede.

Decididamente, o professor não tinha um temperamento contemplativo. Quanto a mim, esqueci as necessidades e teria permanecido naquele lugar por muito mais tempo, mas tive de acompanhar meus companheiros.

As encostas do vulcão eram muito íngremes. Escorregávamos por verdadeiros atoleiros de cinzas, evitando os riachos de lava que se alongavam como serpentes de fogo. Enquanto descia, conversava com loquacidade, pois minha cabeça estava cheia demais para não se esvaziar em palavras.

– Estamos na Ásia – exclamei –, nas costas da Índia, nas ilhas Malaias, em plena Oceânia! Atravessamos metade do globo para chegar aos antípodas da Europa!

– E a bússola? – perguntou meu tio.

– Sim, a bússola – disse um tanto embaraçado. – Segundo ela, caminhávamos sempre para o norte!

– Então, ela mentiu?

– Ora, mentiu!

– A menos que estejamos no polo norte!

– O polo não, mas...

Era inexplicável. Não sabia o que pensar.

Nesse meio-tempo, aproximávamo-nos daquela área verde que dava prazer de olhar. A fome e a sede atormentavam-me. Felizmente, após duas horas de caminhada, apareceu um lindo campo completamente coberto de oliveiras, romãzeiras e vinhedos que pareciam pertencer a todos. Além disso, em nossa penúria, não tínhamos condições de examinar melhor o terreno. Que prazer espremer os frutos saborosos nos lábios e morder com gosto as uvas dos vinhedos vermelhos! Perto, na relva, à sombra deliciosa das árvores, descobri uma fonte de água fresca, onde mergulhamos voluptuosamente pés e mãos.

Enquanto nos abandonávamos às doçuras do repouso, apareceu um menino entre duas ramagens de oliveira.

– Ah! – exclamei. – Um habitante desta região afortunada!

Era uma espécie de pobrezinho, miseravelmente vestido, aspecto doentio, que pareceu muito assustado com nossa aparência. Seminus, barbas por fazer, estávamos horríveis e, a menos que se tratasse de uma região de ladrões, tínhamos tudo para assustar seus habitantes. No momento em que o garotinho ia fugir, Hans correu atrás dele e trouxe-o, apesar de seus gritos e chutes. Meu tio tentou tranquilizá-lo, dizendo-lhe em bom alemão:

– Qual é o nome dessa montanha, amiguinho?

O menino não respondeu. Perguntou a mesma coisa em inglês. O menino também não respondeu. Eu estava muito intrigado.

– Será que é mudo? – perguntou o professor. Por ser poliglota, repetiu a pergunta em francês.

Mesmo silêncio do garoto.

– Tentemos o italiano – retomou meu tio, e disse nessa língua:

– *Dove noi siamo?*

– Sim, onde estamos? – repeti com impaciência. Nada de o garoto responder.

– Vamos, fale! – gritou meu tio, que começava a ficar nervoso e sacudia o menino pelas orelhas. – *Come si noma questa isola?*

– Stromboli – respondeu o pastorzinho, que escapou das mãos de Hans e correu para a planície dos olivais.

Nem pensávamos mais nele! O Stromboli! Que impacto esse nome inesperado provocava em minha imaginação! Estávamos em pleno Mediterrâneo, no meio do arquipélago eólio, mitológico, onde Eólio mantinha os ventos e as tempestades acorrentados.

E aquelas montanhas azuis, que se arredondavam no levante, eram as montanhas da Calábria! E o vulcão que se erguia no horizonte sul era o Etna, o selvagem Etna.

– Stromboli! Stromboli! – repetia.

Meu tio acompanhava-me com gestos e palavras. Parecíamos estar cantando em coro! Ah, que viagem, que viagem maravilhosa! Tendo entrado por um vulcão, saímos por outro, e esse outro localizava-se a quase seis mil quilômetros de Sneffels, daquela região árida da Islândia, banida para o fim do mundo! O acaso de nossa expedição nos havia transportado para o centro de uma das regiões mais harmoniosas da terra. Abandonamos a região das neves eternas para chegar à da verdura infinita e deixamos as brumas acinzentadas das zonas glaciais para voltar ao céu azul da Sicília!

Após uma refeição deliciosa de frutas e água fresca, voltamos a caminhar para alcançar o porto Stromboli. Revelar como havíamos chegado à ilha não nos pareceu prudente; o espírito supersticioso dos italianos não deixaria de ver em nós demônios que o seio do inferno vomitou. Devíamos resignar-nos a passar por humildes náufragos. Era menos glorioso, mas mais seguro. Enquanto caminhávamos, ouvia meu tio murmurar:

– Mas a bússola! A bússola apontava para o norte! Como explicar isso?

– Ora – desdenhei –, não explique, é mais fácil!

– Essa não, seria uma vergonha um professor do Johannaeum não encontrar o motivo de um fenômeno cósmico.

Ao falar isso, meu tio, seminu, bolsa de couro pendurada na cintura e arrumando seus óculos no nariz, voltou a ser o terrível professor de mineralogia. Uma hora depois de termos deixado o bosque das oliveiras, chegamos ao porto de San Vicenzo, onde Hans reclamou o salário da décima terceira semana de serviço, que lhe foi entregue com apertos de mão calorosos. Naquele momento, se não compartilhou nossa emoção bem natural, pelo menos deixou-se levar por um movimento de expansão extraordinário. Apertou levemente nossas duas mãos com a ponta de seus dedos e sorriu.

Capítulo 45

Esta é a conclusão de uma história na qual muitos não vão acreditar pois há muitas pessoas que só creem naquilo que testemunham. Mas me armei antecipadamente contra a incredulidade humana. Fomos recebidos pelos pescadores de Stromboli com todas as atenções devidas aos náufragos. Deram-nos roupas e alimentos. Após uma espera de quarenta e oito horas, no dia 31 de agosto, uma pequena embarcação nos levou a Messina, onde nos recuperamos após alguns dias de descanso.

Na sexta-feira, 4 de setembro, embarcamos no Volturne, um dos navios-correio das empresas de transportes imperiais da França, e, três dias depois, estávamos em Marselha, com uma única preocupação: a maldita bússola. O fato inexplicável não parava de me atormentar. Dia 9 de setembro à noite, chegamos a Hamburgo. Renuncio a descrever o estupor de Marthe e a alegria de Grauben.

– Agora que você é um herói – disse-me minha querida noiva –, não precisará mais abandonar-me, Axel!

Olhei para ela. Chorava sorrindo. Deixo em aberto quanto a volta do professor Lidenbrock provocou sensação em Hamburgo. Graças à indiscrição de Marthe, todo mundo sabia de sua viagem para o centro da Terra. Ninguém acreditou, nem quando retornou.

No entanto, a presença de Hans e as várias informações procedentes da Islândia modificaram um pouco a opinião pública.

Então meu tio tornou-se um grande homem, e eu, o sobrinho de um grande homem, o que já é alguma coisa. Hamburgo deu uma festa em nossa homenagem. Numa sessão aberta ao público no Johannaeum, o professor relatou sua expedição, só omitindo os fatos relativos à bússola. Naquele mesmo dia, depôs nos arquivos da cidade o documento de Saknussemm e lamentou não terem as circunstâncias permitido que seguisse os rastros do viajante islandês até o centro da Terra. Foi modesto em sua glória, e sua reputação aumentou.

Tanta honra suscita inveja. Suscitou, e como suas teorias, baseadas em dados seguros, contradiziam os sistemas da ciência sobre a questão do fogo central, sustentou, pela pena e pela palavra, notáveis discussões com os cientistas de todos os países.

Quanto a mim, não consigo admitir sua teoria do resfriamento: a despeito do que vi, acredito e sempre acreditarei no calor central; mas confesso que algumas circunstâncias ainda mal definidas podem modificar essa lei sob a ação dos fenômenos naturais.

No momento em que essas questões estavam palpitantes, meu tio passou por um verdadeiro desgosto. Apesar de sua insistência, Hans deixou Hamburgo; o homem ao qual devíamos tudo não quis deixar que pagássemos nossa dívida. Estava com saudades da Islândia.

– *Farval* – disse ele um dia, e com essa simples palavra de adeus partiu para Reykjavik, onde chegou bem.

Havíamos nos afeiçoado muito ao nosso corajoso caçador de êider. Jamais será esquecido por aqueles cujas vidas salvou, e com certeza não morrerei sem ir vê-lo pela última vez.

Essa viagem ao centro da Terra provocou sensação entre o público. Foi publicada e traduzida para todas as línguas. Os jornais mais autorizados disputaram seus episódios principais, que foram comentados, discutidos, atacados e apoiados com igual convicção pelos crédulos e incrédulos. Coisa rara: ainda em vida, meu tio gozava de toda a glória que havia conquistado, e até Bamum propôs apresentá-lo nos Estados Unidos por um preço elevado. Mas um problema, podemos dizer até um tormento, atrapalhava a glória.

Um fato continuava inexplicável, o da bússola; ora, para um sábio, tal fenômeno inexplicável torna-se um suplício para a inteligência. Bem, os céus concederiam ao meu tio a felicidade completa. Um dia, enquanto eu arrumava uma coleção de minerais em seu gabinete, vi a famosa bússola e comecei a observá-la. Estava ali, em seu canto, há seis meses, sem desconfiar do escândalo que provocava. De repente, qual não foi o meu estupor! Gritei. O professor acorreu.

– O que foi? – perguntou.

– Essa bússola!...
– O que é que tem?
– Sua agulha indica o sul e não o norte!
– O que você está dizendo?
– Olhe! Seus polos estão trocados!
– Trocados!

Meu tio olhou, comparou, e fez a casa tremer com um tremendo pulo. Acendeu-se uma luz em nossas mentes.

– Então – exclamou, assim que conseguiu falar –, desde a nossa chegada ao cabo Saknussemm, a agulha dessa maldita bússola apontava para o sul, em vez de apontar para o norte?

– É claro.

– Então nosso erro está explicado. Mas que fenômeno provocou essa inversão de polos?

– Nada mais simples.

– Explique-se, meu filho.

– Durante a tempestade no mar Lidenbrock, aquela bola de fogo que estava imantando o ferro da jangada simplesmente desorientou nossa bússola.

– Então foi uma simples questão de eletricidade? – O professor caiu na gargalhada.

A partir daquele dia, meu tio tornou-se o mais feliz dos sábios, e eu, o mais feliz dos jovens pois, abdicando de sua posição de pupila, minha bela virlandesa assumiu, na casa da Königstrasse, a dupla função de sobrinha e esposa. Nem preciso acrescentar que o professor Otto Lidenbrock, membro correspondente de todas as sociedades científicas, geográficas e mineralógicas das cinco partes do mundo, é agora o tio de nós dois.

FIM

CONFIRA NOSSOS LANÇAMENTOS AQUI!